dedo mínimo

5 Dedos de Prosa

Mario Prata

Buscando o seu Mindinho

um almanaque auricular

OBJETIVA

Editora Objetiva Ltda.
Rua Cosme Velho, 103 • Rio de Janeiro • RJ
22241-090 • Tel. 2556 7824 Fax 2556 3322
www.objetiva.com.br

Capa e projeto gráfico
Evelyn Grumach
Assistência de projeto
Fernanda Garcia

Fotos
Simone Rodrigues
Assistência de fotografia
Cris Veneu

Coordenação Editorial
Isa Pessôa

Revisão
Tereza da Rocha
Renato Bittencourt

Editoração Eletrônica
FA Editoração

2002

C768i

Prata, Mario
Buscando o seu Mindinho / Mario Prata. - Rio de Janeiro:
Objetiva, 2002

243 p. (Cinco dedos de prosa - Mindinho) ISBN 85-7302-388-0

1. Literatura brasileira - Romance. I. Série. II. Título

CDD B869.3

Dedico ao Fabrico de Oliveira Lima,
in memoriam.

E para você:

Sumário

11 **Introduzindo o Mindinho**

17 **Meu querido amigo Mario Prático:** *introdução (do seu Mindinho)*
...se ele estava de luvas no meu enterro (tenho certeza que sim)...

primeira parte
19 **Textos do seu Mindinho**

23 **Às margens do rio** *conto*
...o meu segundo bebê. Sem o **mindinho**, como o primeiro...

36 **O Apocalipse *now*** *conto*
...Quando olhei para o seu **Mindinho**, ao lado do volante estava um livro...

46 **Zeca Junqueira, o pioneiro da unha comprida** *conto histórico*
...e hirtava o **mindinho**, orgulhoso, soberbo – é a prova definitiva que eu...

53 **João Ubaldo Ribeiro** *e-mail*
...amigos que usavam unha comprida no **mindinho** para limpar as orelhas, notadamente o...

57 **Querido senhor Mindinho:** *e-mail*
...a falangeta – o ossinho da ponta do **mindinho** – tinha ficado embolada na boca do...

63 **Oi** *e-mail*
...À vista de vosmecê sou o **mindinho**...

68 **O crime da porta** *conto*
...descuidou-se e estraçalhou o dedo **mindinho** na serra...

73 **O caçador de xibiu** *memórias*
...falta do **mindinho** da mão direita nunca lhe...

77 **Nomes diferentes (apenas a letra M)** *listinha*
...Maria **Mindinho** Polegar de Souza, Maria Panela...

80 **As águas vão rolar** *telenovela*
...azul-turquesa como a mancha do dedo **mindinho** de Bibiana...

97 **O mindinho no contrabaixo** *crônica*
...onde os dedos **mindinhos** integram classes sociais opostas, esse lugar é o contrabaixo...

101 **Zé Preto** *memória*
...Nas curvas das Minas Gerais, sem o **mindinho**...

105 **Mulheres, mães e mindinhos** *crônica*
...devo dizer que a do **mindinho** é a que eles mais reclamam de cortar...

109 **Tudo Prata** *acervo*
...**Mindinho**, Dedão, Dedinho e Dentinho...

111 **Hei, Jude!!!** *minissérie*
...causa daquela estranha atrofia no dedo **mindinho**...

119 **Mindinho bom de cama** *conto*
...os quatro lá dentro e o **mindinho** fica de fora...

125 **Quem tem medo de Florbela Espanca?** *perfil*
...quando a via passando pela Rua do **Mindinho**...

133 **O Carneirinho** *conto*
...Comecei por lhe enfiar o dedo **mindinho**, bem devagar e ele deu uma pequena...

142 **A procissão dos nus** *conto*
...sobre o **mindinho**, achei um conto de um português...

segunda parte
149 **Pesquisas do seu Mindinho**

151 **A verdade sobre o dedo** *depoimento médico*
...Quando a concavidade tá pra fora é valgo. Então, nós temos "valgo de dedo mínimo"...

156 **Bang-Bang** *novela*
...atrás da diligência, Moreno e Oldeight correm para o **Mindyn & O**...

185 **Cartas ao jornal *Expresso*, de Portugal** *jornalismo*
...nesta maquinêta do mê neto só acertândo com o **mindinho**...

189 **A fúria aérea portuguesa** *jornalismo*
...com tal violência que lhe esmagou a falanginha do dedo **mindinho**...

191 **Murro** *jornalismo*
...que o dedo **mindinho** é de "muito pouca utilidade para a mão, é um apêndice que tende a desaparecer..."

193 **Gestos com os dedos** *cultura inútil*
...punho fechado com o indicador e o **mindinho** formando...

198 **Zimba** *ator*
...Até o dedo **mindinho** tinha que ficar na posição que ele...

199 **Esperanto** *língua*
...La plej malgranda fingro de la mano, la plej malproksima de la **dikfingro**...

201 **Com os *bytes* nas mãos** *matemática*
...o **mindinho** vale um, seu-vizinho dez, maior-de-todos cem...

203 **mindinho-le-Tower, Newmarket, Suffolk.** *internacional*
...the name "**Mindinho**" was one of the earlier...

205 **O cérebro musical** *cabeça*
...do dedo **mindinho** da mão esquerda eram maiores entre os músicos do que...

210 **O berimbau** *música*
...os dedos polegar, indicador e **mindinho** estendidos...

211 **A história da flauta doce** *música*
...há um buraco aberto para o dedo **mindinho**...

213 **A utilização dos harmônicos naturais na guitarra** *música*
...e o *hammer* feito com o **mindinho**...

215 **Castilho** *jornalismo*
...amputação de parte do dedo **mindinho**...

217 **Jajá de Barra Mansa** *jornalismo*
...e com um calo no **mindinho** do pé esquerdo...

219 **Existem lobisomens em Joanópolis?** *mistério*
...Atirar no seu dedo **mindinho** do pé...

223 **Etapas do movimento escoteiro** *coisas*
...nós nos cumprimentamos entrelaçando o dedo **mindinho**...

225 **Não vai doer**
...**mindinho** da mão esquerda está anestesiado e não vai sentir dor...

229 **Anatomia genital femenina** *sexo*
...es capaz de albergar desde **mindiño**, un pene...

231 **Como una mujer puede ejercitar su vagina** *sexo*
...hasta que sea capaz de sentirlo sólo con el dedo **mindiño**...

233 **Aleitamento materno e sensibilidade do mamilo** *meiguice*
...Coloque seu dedo **mindinho** dentro da boca de seu filho para...

235 **Como cuidar das unhas das mãos** *higiene*
...Comece pelo dedo **mindinho**, pincelando do centro para...

237 **Serão os ouvidos? Serão os dedos?** *cerebral*
...as sensações do dedo **mindinho** e do dedão da mão esquerda...

241 **Menino mudo** *poesia*
...meu silêncio levará no dedo, no seu dedo **mindinho**...

243 **Último texto do seu Mindinho**

Introduzindo o **Mindinho**
(leitura indispensável)

– Não se pode confiar numa mulher que tem binóculo em casa!

Talvez esta tenha sido uma das últimas frases que eu ouvi dele. Mas se você quiser, outra:

– Depois dos cinqüenta, o que o homem precisa mesmo é de um psicanalista e um advogado.

Estávamos todos lá. No enterro do nosso amigo.

A gente se via pouco nos últimos anos, mas ele era eterno para todos nós. Éramos uma turma, lá no interior, que existiu mesmo entre 55 e 66. Da turma, ali, no velório da Santa Casa, tinha uns vinte do nosso tempo. Naquela época era muito comum o apelido. Todos da turma: Anta, Fênêmê, Açucareiro, Quasebelo, Meianoite (o Meia), Quinzeprameianoite (o Quinze), Onzemeia (o Onze), Minduim, Turco, Boca, Boca Júnior (filho do Boca), Panela, Dentinho, Charles Atlas, Bolinha, Deixaqueuchuto (o Deixaquê), Canarinho, Cabelinho, Chocolate, Burguês, os Gregos, o Muntinvaca (o Munti), o Pato e o Chatogrande. Além, é claro, das horrorosas Beleza e Lindeza.

E ele, o **Mindinho**. Para os mais jovens, seu **Mindinho**.

Ali, estendido, careca-careca, no caixão. O **Mindinho**, de todos os que estavam ali, foi aquele – toda turma tem – que não deu certo. Viveu de bicos. Teve as mais estranhas e pirotécnicas profissões. Inteligentíssimo, mas nunca acertou. Aquela sinistra mão direita. Ou seria outro o motivo para aquela vida desastrada?

O **Mindinho** era mulato. Mais para o claro, mas mulato. Mas nunca alisou o cabelo. Era bisneto de escravos e adorava contar histórias até do seu tataravô africano. Histórias que se arrastaram de 1850 até hoje. E casou com uma mulata. Honesto.

Glorinha, a Perereca, como a chamávamos, sua primeira e única esposa, havia morrido há pouco tempo. Nenhum parente dela no velório. **Mindinho** e Perereca se casaram e se separaram umas dez vezes. Foi a vida de casal mais atribulada, agoniada, maconhada, bebida, apertada e triste que eu já havia conhecido ou mesmo lido na literatura russa ou francesa do século XIX. Era o que nós pensávamos da vida conjugal dele. Mas uma frase me faria mudar completamente de opinião a respeito:

– Ele deixou isto pra você.

Eu não desconfiava quem seria aquele adolescente cheio de espinhas com uma caixa na mão esquerda, embrulhada com papel marrom, igualzinho ao que as mães da gente encapavam os cadernos do primário.

Era para ser Fabrício, o nome do **Mindinho**. Mas o escrivão – sabe-se lá o porquê – esqueceu um i. Fabrico. Com acento no i. Fabrico, do verbo fabricar! Ele gostava mais do apelido.

O problema dele era na mão direita. Ele não tinha o dedo **mindinho**. E, o mais estranho, é que não havia também o lugar onde deveria ter o dedo mínimo. Eram só os outros dedos. De nascença. E, desde que eu conheci o **Mindinho**, ele já era **Mindinho**. Vim a saber do seu nome Fabrico só no primeiro ano do primário, quando a doce dona Gessy, lendo a chamada, chamou, com sua voz de mel:

– Fabrico!

E ele falou: presente! E todo mundo olhou e disse (berrou, na verdade):

– Fabríííííííco???

O **Mindinho**, naquela época, era o cara que eu chamaria de quase. Quase rico (o pai era médico, lá no interior), quase pobre (sua mãe passava *à jour*). Quase bonito (olho), quase feio (queixada e orelha de abano). Quase gênio, quase burro. Quase corno, quase galinha, quase feliz. Foi ficando, cada vez mais, quase careca. Sempre quase. Praticamente, para mim, quase imortal. Sim, porque cada vez que ele era quase-alguma-coisa, ele levava a sério a empreitada. Ficava obcecado por aquilo. Só falava naquilo, sabe? Quase chato, mesmo. Mas no que ele nunca foi quase foi no consumo de maconha, como vários da nossa geração. Ficou possesso quando a revista *Época* fez uma matéria de capa com a manchete: "Eu Fumo Maconha", e não o entrevistaram. Desses de plantar em casa e depois pendurar de ponta-cabeça.

E, o que ninguém sabia, pai.

Mas inesquecível! Pois eu me lembrava – ali, ao lado dele morto – das suas melhores histórias, desde a infância. E das frases. Adorava frases. Uma vez, de madrugada, de porre, olhando para o alto da torre da igreja matriz, de *smoking* do baile de debutante, exclamou alto para quem estivesse atravessando a concreta praça ouvir:

– O que seria hoje de Olavo Bilac, se vivo fora e se encontrasse com os irmãos Campos?

Era desses caras que tiveram várias fases na vida. Uma época – e nem estava ainda na moda – foi evangélico. Citava a Bíblia o dia todo. Enchendo a cara com a gente, mas citava. Teve uma fase em que foi acusado de um crime bárbaro. Isso são pequenos momentos na vida dele que eu estou lembrando agora, aqui, olhando para a sua cara branca, com um algodão já amarelado nas narinas.

Grande contador de casos. Principalmente dos seus antepassados. Sei que já disse lá atrás, mas é que é um detalhe importante no com-texto (me desculpe, eu odeio trocadilhos mas, no caso, tem tudo a ver).

Apaixonado por futebol. Capaz de dizer o time reserva do Brasil de 58 ou o reserva do Zito na de 62. Fora o dia da estréia do Di Stefano na seleção argentina. Mas esse caso a gente nunca chegou a investigar pra valer. Mas que foi no Pacaembu, foi.

Ele está com as mãos cruzadas no peito, como convém. No lugar do **mindinho**, alguém, de bom coração, colocou um cravo, como convinha. Branco, como ele gostava de usar com o primeiro terno, em 1960, aos 14 anos. O oportuno cravo na lapela.

Prometo não me lembrar da parte do seminário, **Mindinho**. Fica frio.

Foi o único filho dele (Fabrício, também sem o **mindinho**) quem me deu a caixa de sapatos.

Nunca ninguém soube que o **Mindinho** tinha um filho. Assim que cheguei ao velório, me chamou, dizendo que havia me visto num programa de televisão. Usava uma luva na mão direita. Tirou e eu fiquei estupefato. Ele não tinha o **mindinho**.

– Ninguém sabe, mas sou filho dele.

– Não tenho nenhuma dúvida – eu disse, me lembrando das espinhas do **Mindinho** na adolescência.

– Ninguém sabia – continuou –, mas foi um puta pai. Ele fez questão. Pediu para o senhor publicar. Se quiser, né? Se achar que vale a pena. Ele falou várias vezes:

– Se ele achar que vale a pena.

Publicar?

O bastardo filho, uns 16 anos, orgulhoso:

– Você sabia que ele escrevia?

Nunca poderia imaginar que o **Mindinho** escrevesse. Quer dizer, quase poderia. Me lembro que era bom nas redações do padre Pedro Cometti, no Salesiano. Mas era mais de poemas que ele gostava. Talvez tenha me deixado uns poemas bilaquianos, de sua lavra. Que eu saiba, ele foi gerente de banco, guia de cego em Orlândia (juro!), dono de loja de sapatos (femininos), auxiliar de protético, motorista de van, garçom, locutor de rádio, chefe de gabinete de vereador e até (nunca ficou provado) professor de esperanto.

Depois do enterro voltei para São Paulo. E só então fui ver as coisinhas que o amigo havia me deixado.

Fiquei pasmado.

Ele fazia projetos para teatro, cinema e televisão. E mais: havia recortes e mais recortes de histórias sobre o dedo **mindinho**. Meu amigo de infância, na surdina, se tornara, durante seus 55 anos de vida, um especialista em **mindinhos**. Sabia tudo. Ou, pelo menos, quase tudo.

Dentro da caixa de sapatos, cuidadosamente organizados por temas e em envelopes lacrados, textos. Textos e mais textos. E, para cada texto, uma introdução dele.

E, entre um recorte e outro sobre todo o trabalho de anos, ele vai narrando, mesmo que alternadamente, sua vidinha doentia com a já mencionada Glorinha. Que, aliás, não é mãe do filho dele. E mais: histórias do pai, do avô e do bisavô escravo e igualmente Fabrício.

(Um parêntese: ele não colocou o seu material em ordem cronológica. Portanto, quando ele fala na vida dele e da Glorinha – principalmente dela –, a coisa está meio embaralhada. É como se a vida deles fosse e voltasse. Ou seria uma questão de estilo?)

E, por gostar de quase tudo que eu escrevo, é que me legou sua – digamos – obra. Passo a vocês. Quase feliz, pois acho que ele ficaria mais contente ainda vendo isso aqui ser publicado em vida. E quase triste, porque sei que ele deve ter escrito muito mais sobre o assunto e jogado fora, sem se dar conta do seu quase interminável poder de narrar histórias, nas suas mais variadas maneiras de ser.

Muita situação lembrada, escrita e depois rasgada, deve ter se perdido por aí.

E, além de tudo, mostra-se um autêntico internauta, nos últimos cinco anos, deixando textos de alguns *sites* quase inacreditáveis, impressos. Ele andava, no final da vida, sem ter mesmo o que fazer, vivendo completamente sozinho e isolado, fazendo um estudo, um quase tratado sobre o dedo **mindinho**. Trocava *e-mails* com anônimos e famosos, sobre o dedinho.

Um estudo surpreendente. E muitíssimo bem organizado, já disse. Pedaços de jornais dentro de envelopes de cartas. Textos de livros, copiados.

Para mim, que achava que ele era um deu-pra-nada, a surpresa com o estudo sobre o auricular dedo me contagiou e muito.

E, em tudo que ele me deixou, a presença da falta do dedo.

O que se segue é a caixa de sapatos completa do meu amigo. Além de uma introdução escrita por ele mesmo, desde que descobriu a doença que o mataria precocemente. Mas isso é outra história.

Acrescentei uma ou outra coisinha que eu me lembrava dele.

Tudo mentira, ele diria, lendo isto aqui.

– O Mario Prata só escreve mentira! Tudo passarinho!!!

Mario Prata

P.S. E, por falar em mentira, Umberto Eco, na contracapa do seu último livro, *Baudolino*, diz o seguinte:

"Se queres transformar-te num homem de letras, e quem sabe um dia escrever histórias, deves também mentir, e inventar histórias, pois senão a tua história ficaria monótona.

Mas terás que fazê-lo com moderação. O mundo condena os mentirosos que só sabem mentir, até mesmo sobre coisas mínimas, e premia os poetas que mentem apenas sobre coisas grandiosas."

Meu querido amigo Mario Prático:

O que tem aqui dentro eu venho colecionando já há alguns anos. São textos (meus e de outras pessoas) relacionados com o tal dedo. Esse flagelo que se abateu sobre meu pai, eu e o meu filho, que você já deve ter conhecido. Aliás, a história do nascimento do Fabrício está num dos envelopes.

Quanto ao que eu mesmo escrevi, são uns projetos para televisão, cinema, teatro, alguns contos, umas crônicas sempre chamando a atenção para o tal dedo. Mandava para Deus e o mundo. Nunca obtive resposta deles, os chamados produtores de ficção. Nem mesmo sei se têm valor ou não. Você saberá avaliar melhor.

Aproveitei e fiz também um pequeno diário sobre a nossa querida Glorinha Nunes de Oliveira Lima, dita Perereca. Umas notinhas, bobagens. Relendo, acho que fui injusto com ela.

Meu filho Fabrício me ensinou a viajar pela Internet e lá encontrei muita coisa curiosa sobre o assunto. Acho que você vai se divertir com o material.

Quando o doutor Santana diagnosticou esta minha doença (não a da mão direita, mas a outra), comecei a organizar a papelada para deixar com você. Sei que nunca soube que eu escrevia (depois de adulto, é claro). Sempre escrevi. Nunca tive coragem de mostrar para ninguém conhecido. Principalmente para você. Só a Glorinha, a santa Glorinha, lia. E me ajudou muito nas pesquisas quando ela já estava – triste! – definhando e desdentada.

É claro que eu tinha que ter problemas psicológicos com essa mão direita tão esquisita. Isso me inibiu na vida. Eu disfarçava, você sabe. Mas acho que nunca dei muito certo por causa disto. Mas, desde que comecei a me dedicar ao assunto, a procurar tudo que havia sobre o dedinho, ganhei uma nova vida.

Me interessei ainda mais na pesquisa, quando o meu filho começou a ficar adolescente e nós nos encontrávamos escondido. Queria deixar um estudo para ele sobre os dedos. A importância dos dedos, digamos assim. Ou da falta deles. Sinto que ele já enfrenta o problema com mais desembaraço. E, se ele estava de luvas no meu enterro (tenho certeza que sim), é porque muita gente aqui na cidade ainda não sabe da paternidade. Mas isso daria um outro livro, pois envolve a mãe dele que é, afinal, esposa do prefeito atual. Sabe quem é, né?

Vai notar que escrevi um pequeno texto de introdução para cada envelope contendo os textos e as pesquisas. Se um dia você publicar esse monte de coisinhas (como eu chamo), esses pedaços de dedos, pode modificar um pouco os textos de apresentação. Ou mesmo, acrescentar um ou outro comentário de sua lavra (palavrinha feia, né?).

Caso venha mesmo a editar o material da caixa, dê os direitos autorais do livro para o Fabrício. Espero que venda bastante e ele possa fazer o curso de anatomia, que é o seu sonho. É no Hospital Universitario Morales Meseguer, em Múrcia, na Espanha. Lá há um curso muito interessante denominado Tumoración Polipoide Sobre Dedos de la Mano, ministrado pelos eminentes professores Alberto Giménez Bascuñana e Andrés Nieto Olivares.

Fabrico de Oliveira Lima, o seu Mindinho

P.S. – Já reparou no mindinho direito da Ana Paula Arósio?

primeira parte

Textos do seu **Mindinho**

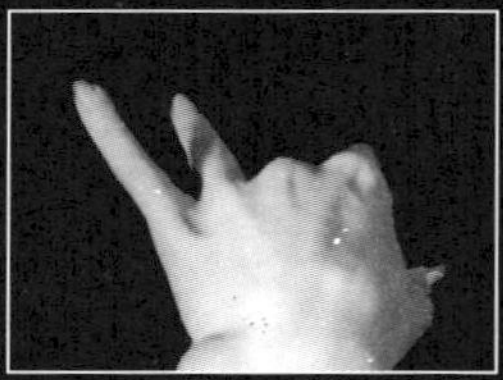

"Às margens do rio Negro, no pequeno município mineiro de Santa Rita de Jacutinga, na divisa com o Rio, uma fazenda em estilo neoclássico esconde um segredo histórico: no século XIX, o local foi usado para a reprodução de escravos angolanos", escreveu o jornalista Murilo Fiuza de Melo, no Estadão, baseado em informação da atual herdeira, dona Adélia Felícia de Paula Nogueira.

Quando vi a matéria no dia 5 de maio do ano passado, comecei a tremer de chegar a preocupar a Glorinha, que já estava nas últimas.

Você não vai acreditar, eu sei. Meu caro, o meu bisavô foi escravo (e reprodutor) desta fazenda. A Santa Clara. E ele não tinha o dedo mindinho. Nem o pai dele, que veio da África assim. Meu bisavô nasceu em 1850 e morreu em 1921, com 71 anos.

O nome dele também era Fabrício e era reprodutor. Eu disse era, porque nasceu um bebê sem o mindinho. A criança não ia valer nada no mercado.

Mas, antes que eu conte o que foi que aconteceu com ele, como reprodutor, deixa eu te passar mais algumas informações tiradas da matéria do Estadão, para você sentir o clima da vida dele naquela época.

– Minas Gerais, 1870.

– A fazenda ficava a 500 quilômetros de São Paulo e 250 do Rio.

– Vendia negros para todo o Brasil.

– O fazendeiro resolveu montar o negócio em 1850, justamente quando foi proibido o tráfico de escravos e começaram as pressões inglesas para que o Brasil abolisse o trabalho não remunerado no país.

– Somando fulas e angolanos, o comendador mantinha um "plantel" de saltar aos olhos: eram 2,8 mil cativos, espalhados por suas quatro fazendas na região.

– A reprodução de negros era um negócio lucrativo. Para cada angolano, havia nove mulheres. (Nove, meu caro amigo. Nove!) Quando atingiam 3 anos, os filhos homens eram vendidos por 17 contos de réis. As meninas, aos 13 anos, eram levadas para a senzala e "iniciadas no processo reprodutivo". "Em média, cada angolana tinha 15 filhos. O ciclo reprodutivo dessas mulheres durava até os 30 anos", informa a historiadora Adélia Felícia.

Pois ele, que eu não cheguei a conhecer, no final da vida, depois de ter estudado, começou a escrever – você vai ler logo abaixo – e os textos dele vieram de pai para filho até chegarem a mim. Mexi um pouco na pequena biografia (dei uma espécie de atualizada no português), escrita com uma caligrafia muito firme. Devo ter herdado dele este meu gosto pela escrita. Se você pedir ao Fabrício, ele ficou com outros textos dele. Mas aqui vai o melhor. Pelo menos é a minha opinião.

Às margens do rio

Eu tinha 20 anos.

Ou, pelo menos, imaginava que tinha. Nós, angolanos, além de sermos considerados os melhores negros da África, tínhamos a vantagem de falar português. Mesmo assim, entre nós, usávamos o banto, um dialeto. Até, é claro, o Coronel Chico Tereziano proibir terminantemente de se falar "daquele jeito preto" entre nós.

Modéstia à parte, eu era um negro muito bonito, forte, saudável. Só me faltava o dedo **mindinho**, como no meu pai. Mas achava que isso nunca me traria problemas na vida. Achava.

Não podia reclamar da situação até nascer a minha segunda reprodução, o meu segundo bebê. Sem o **mindinho**, como o primeiro.

Escravo sem dedo vale menos. é claro. Minha missão era a procriação. Éramos, naquela época, apenas quatro homens para 36 mulheres, ainda. Um para nove, a proporção! E a gente dava conta. Ah, se dava! Elas, as meninas. também eram escolhidas a dedo (literalmente) pelo feitor. O que havia de mais alta, esbelta, traseiro saliente, seios hirtos, todas com dentes. Alvos, alvíssimos. Principalmente as novinhas, que chegavam com 13 aninhos.

Minha vida era uma delícia. Um deleite, uma volúpia, se me permite os termos. Éramos muito bem alimentados e, vez ou outra, até uma aguardente aparecia para estimular a cabeça e o prazeroso trabalho.

O local onde trabalhávamos era interessante.

Ficava à direita da casa-grande. De longe, "podia-se contar 29 janelas. Todas falsas. Por trás das paredes de argila e saibro, ficava a senzala, onde ficávamos para a reprodução. A circulação do ar era garantida por 40 'respiradouros', construídos sobre as janelas falsas".

Ao lado da senzala, ficava o paridouro, onde as mulheres iam parir. A claridade era na medida certa para o sexo. Nem penumbra, nem nada. Nem aquela claridade excessiva que pode atrapalhar na hora da concentração máxima. Com o tempo, fomos aperfeiçoando o local, dividindo em uma espécie de quatro quartos, com pedaços de panos separando uma relação da outra. Ah, sim, quando um casal exagerava na exaltação do orgasmo, todos se punham a cantar alto, em banto. Depois, todos aplaudiam a *performance*. E a gente dançava e cantava.

Mas quando nasceu o meu segundo bebê sem o **mindinho**, já disse antes, fui imediatamente levado para a masmorra: um lugar sombrio, triste, lúgubre. Não havia danças e cantos angolanos como lá em cima.

Ali, não. Silêncio sepulcral. Os gemidos eram das torturas ou das chibatadas. Nunca menos de 50. Ninguém se falava.

O pior é que a masmorra ficava bem embaixo da sala de jantar da casa-grande. Dali dava para sentir o cheiro da comida servida em porcelana chinesa. Sentia aquele cheiro várias vezes por dia, olhando para os outros escravos presos em grilhões. E olhando para três troncos fixos onde meus amigos tinham suas mãos e pés amarrados com grossas e pesadas correntes. Naquele lugar dava para identificar as marcas de sangue nos troncos e as unhadas nas paredes, feitas pelos escravos durante as horas de dor e sofrimento, como relatou a dona Adélia na reportagem do Estadão.

Ali fiquei apenas mais ou menos uma semana, imagino. Não me bateram, mas a comida, ao contrário da dos reprodutores, era intragável. Um dia o feitor foi me buscar, até muito educadamente. O Coronel Chico Tereziano queria falar comigo.

Achei que ia para o pelourinho. Muito pelo contrário. O homem foi educado comigo. Acho que porque já estava meio de pilequinho. Me disse que eu iria ser servidor de mesa às refeições. Que meu trabalho como reprodutor fora um fracasso. E que, com um dedo a menos, no cafezal não seria de boa serventia. E ordenhar vaca e cabra sem o **mindinho** direito é mesmo impossível. Concordei com a cabeça, humilhado e aliviado.

E assim saí da casa de reprodução, fiz um estágio na masmorra e agora freqüentava os salões principais da casa-grande. Não podia reclamar. Principalmente depois de conhecer bem de perto a filha mais nova do Coronel. A Sinhazinha.

Para você ter uma idéia do que era a casa-grande, em pouco menos de um mês eu já havia contado tudo: 52 quartos, 17 salões, 177 portas, 365 janelas e três cozinhas, num total de seis mil metros quadrados de área. Construída!

Sem contar uma sala de sarau toda mobiliada com cadeiras austríacas, com medalhão Luís XV, um tapete persa e um piano francês.

Tudo isso quem me explicou foi a Sinhazinha, 18 anos recém-completados, virgem como a mãe de Deus ou até mesmo a mãe dela, Sinhá Emerenciana, seca de corpo, coração e sedução.

E, servindo um cuscuz aqui, uma galinha-d'angola ali, fui ouvindo as conversas e tirando as minhas conclusões.

O comendador Tereziano havia resolvido ampliar o salão de reprodução. Era a forma como ele realmente ganhava dinheiro: com a procriação de escravos. Sim, ouvi ali que, na Corte, estava em estudo uma lei do "ventre livre". O Coronel tinha que trabalhar rápido. Nunca se acasalou tanto num mesmo lugar, na mesma hora. Aquilo virou o que hoje chamaríamos de uma democrática suruba. Sim, o Coronel multiplicou seu lucro por dez. Agora eram 40 reprodutores e 360 mulheres! O Coronel estava doido!

Um dia, descobri que ela, a Sinhazinha, era uma rebelde. Uma rebelde completamente carente.

Estava lá eu, no pomar, ainda cedinho, a colher mangas para o pequeno almoço (naquele tempo era assim que se chamava o café da manhã: pequeno almoço), quando a Sinhazinha se aproximou.

Sinhazinha era assim: delgada sem magreza, estatura um pouco acima da mediana, talhe elegante e atitudes modestas. A face, de um moreno-pêssego, tinha a mesma imperceptível penugem da fruta de que tirava a cor; naquela ocasião tingiam-na uns longes cor-de-rosa, a princípio mais rubros, natural efeito do abalo. As linhas puras e severas do rosto, parecia que as traçara a arte religiosa. Se os cabelos, castanhos como os olhos, em vez de dispostos em duas grossas tranças, lhe caíssem espalhadamente sobre os ombros, e se os próprios olhos alçassem as pupilas ao céu, disséreis um daqueles anjos adolescentes que traziam a Israel as mensagens do Senhor. Não exigiria a arte maior correção e harmonia de feições, e a sociedade bem podia contentar-se com a polidez de maneiras e a gravidade do aspecto.

Devo confessar que o texto acima é do Machado, descrevendo Helena. Mas a Sinhazinha era igualzinha. Juro.

Continuemos, pois:

Era linda e lida a moça. Dizia poemas de cor. Para mim, imagine, analfabeto. Me perguntava da África, queria saber como era a nossa vida lá, antes dos navios negreiros. Se interessava por mim e pela minha situação. Enfim, senti que ela gostava de mim e estava – sabe-se lá por que – a fim de pegar amizade. "Veleiro brigue corre à flor dos mares, como roçam nas águas as andorinhas." Me lembro que ela gostava deste verso.

Passou a ser um hábito colher frutas pela manhã, juntos. O pai e a mãe Sinhá Emerenciana eram meio beberrões e dormiam até as dez da manhã.

E foi numa dessas belas manhãs nubladas, mornas e inocentes, colhendo frutos no pomar, juntos, que o tempo fechou de repente. Mas, para mim, seria a abertura. Começou a chover.

– Por aqui – ela me disse.

E saiu correndo segurando a saia. Fui correndo atrás dela até uma cachoeira.

Lá, ela me olhava diferente. Mas eu não conseguia colocar na minha cabeça que pudesse estar pensando no que eu estava a imaginar. Por que eu?

E me disse, depois de ficarmos olhando para a água cristalina, em silêncio, debaixo da copa de uma árvore, bem uns dez minutos, me disse de supetão:

– Vais tomar um banho na cachoeira que eu quero que me faças um serviço. Um serviço de homem e mulher, estás a me entender? Pois. Lava-te!

Ela passou a língua pelo lábio superior. É, era aquilo mesmo.

Entendi e mergulhei de roupa e tudo no riacho. Fui tirando as peças e jogando na margem, bem aos pés dela. E pensando que nunca havia me passado pela cabeça um homem preto e uma mulher branca a fazer aquilo que estávamos quase a consumar. Nem mesmo um homem branco com uma mulher preta. Que jeito, cor nasceria? Estava a pensar nisso, quando entrei na cachoeira, nu. Aquela ducha parecia a alforria da minha alma. E do meu sexo.

Foi quando ela começou a tirar a roupa. Toda aquela roupa. Toda. Havia muito o que tirar. Era pano que não acabava mais.

Até ficar completamente nua, em pé, deixando que eu a admirasse. Foi a primeira mulher branca, nua, que eu vi na vida. Duas novidades me impressionaram. Os bicos dos seios eram cor-de-rosa e empinados, e todos os pêlos do sovaco, púbis e perna eram lisos. Lisinhos, meu Deus do céu! Louramente lisos. Assim que ela colocou os pés na água, aquilo tudo ficou arrepiado e eu, eu já estava pronto para servi-la.

Ela entrou na água e fizemos o serviço que só um homem e uma mulher podem fazer, sendo massageados pela queda-d'água. Ela queria o meu corpo e a minha experiência de reprodutor. Eu – para falar a verdade – queria comer a filha do Coronel. Eu queria comer uma branca! Me entende? Isso, para mim, era mostrar que – de certa e agradável forma – a África estava dominando o Brasil. Eu devia ser meio comunista.

Para quem estava acostumado a manter de seis a oito relações por dia, ali na casa-grande, e estava já há uns cinco meses sem nada, devo confessar que tive um comportamento digno de reprodutor de primeira. Estava mesmo inspirado e a Sinhazinha gostava da novidade e ajudava. Confesso: ela me surpreendeu.

De volta ao pomar, um susto:

– Sou abolicionista! Odeio o que o senhor meu pai faz! O senhor meu pai não tem alma.

Não entendi aquela conversa meio fora de hora.

– Tenho uma missão para ti. Temos que aprovar a Lei do Ventre Livre. Só assim a ganância do senhor meu pai amaina.

– Como?

– Acalma, diminui.

– Ah...

E, rindo, complementou:

– Estavas a pensar que havia sido de graça, pois não? Pois agora hás de pagar o nosso prazer. Fabrício, vais à Corte!

Na manhã seguinte, ela já chegou ao pomar carregando muitos papéis.

– Presta atenção. Isso aqui é uma autorização do senhor meu pai para te liberar para a viagem, para que não te confundam com um escravo fugitivo. Disse ao senhor meu pai que estou a te mandar ao Rio de Janeiro para me buscar uns livros. Neste envelope tens a lista dos livros. Existem uns lugares que se chamam livraria. Tu entras e mostras a lista dos livros. Aqui tens roupas do meu irmão para andares bem vestido na Corte. Neste saquinho, moedas de ouro para toda a viagem. E agora o mais importante de tudo. Na verdade estás a ir ao Rio de Janeiro para entregar esta carta – este envelope pardo – ao Visconde de Rio Branco. Aqui relato tudo o que o senhor meu pai anda a fazer por essas bandas. A direção é essa aqui. Tu chegas lá e pergunta onde fica o Largo do Boticário. É perto. Tem uma placa com o nome das ruas. Olha no papel e confere. Largo do Boticário.

– Só uma pergunta, Sinhazinha. O que é rua?

Parti na semana seguinte – depois de mais alguns banhos, quase sempre comendo frutas dentro do riacho. Bom mesmo era quando a gente se lambuzava todo com a manga e depois chupava –, dizia, parti na semana seguinte, com dois cavalos. Ia viajar 40 léguas!

Havia estado na Corte quando chegamos ao Brasil. Tinha 3 ou 4 anos. Estava ali a olhar a Praça Onze, e imagens vinham à minha cabeça. Foi ali que vi pela última vez meu pai e minha mãe. E minhas duas irmãs. Fomos vendidos separadamente. Um monte de angolanos, todos nus. Passavam óleo no nosso corpo para ficarmos brilhantes, reluzentes. E os brancos passando, olhando, pegando na boca da gente. Minha mãe chorando. Me lembro da última imagem dela, sendo arrastada aos gritos: Quilinda! Quilinda!, que era meu nome em banto.

Comecei a chorar baixinho. Naquela época e agora.

Não foi fácil arrumar um lugar para pousar. Não havia hotéis para negro. Nem negro alforriado. Saí a caminhar, caminhar, caminhar, até chegar a uma praia imensa. Copacabana. Lá havia duas fazendas. O resto era mata virgem. A praia era deslumbrante, me lembrava a África, a costa de Angola. Lembrava a minha vida.

Eu já estava com roupa de branco quando outro negro se aproximou de mim. Não pude conter um riso quando vi a roupa dele, debaixo daquele sol de matar.

– Banto?

– Banto.

Falamos em banto. Ele trabalhava na fazenda ali atrás.

– Sou mordomo do senador Antonio de Góes e Vasconcellos. Vim aqui para fumar um fumo-d'angola. Já fumaste isso?

Acendeu, puxou o fumo e segurou no pulmão.

E me passou uma espécie de cachimbo. Fiz como ele. Me deu uma tosse desgraçada. Mas o cheiro era bom. E ali ficamos os dois a fumar aquilo. Coisa boa, aquilo.

– Essa erva é vendida para fins medicinais em qualquer mercado. Os brancos ainda não descobriram que isso pode ser fumado e deixar a gente assim.

– Assim como?

– Assim, como estamos. Livres! Não estás a te sentir livre?

Não era só livre que eu estava me sentindo. Me deu vontade de chupar manga.

Manezinho devia ter uns cinqüenta anos, cabelos já brancos, boa prosa, engraçado. Parecia feliz com a vida que levava ali naquele pequeno paraíso. Falava se referindo à própria indumentária (sim, aquilo não era roupa, era uma indumentária):

– Os brancos são todos loucos! Querem ser europeus! Ali na fazenda tem umas pinturas da França, Inglaterra, Portugal. Eles querem se vestir igual. Em vez de aproveitar a natureza e andar todo mundo pelado. Mas parece que os padres são contra.

Eta fuminho bom. Ele preparou outro. Falei do meu problema, ele me ofereceu um canto no quarto dele. Ele tinha um quarto só para ele, imagina.

Foi quando eu vi a mulher mais bonita de toda a minha vida. Ela passou na nossa frente, requebrando, bem perto do mar, chutando as ondinhas. A cor daquela mulher! Os olhos, verdes! O corpo, uma escultura! Não era nem branca nem preta. O que era aquilo?

– O que que é isso, Manezinho?

– Isso se chama mulata. Cruzamento de branco com preto. Dá isso aí.

– Lá na minha terra tem disso não.

Ficamos os dois a olhar a mulata no doce balanço a caminho do mar, como diria o poeta quase um século depois, uma praia abaixo.

Depois discutimos muito o nome mulata. Quem é que havia inventado isso? Mulata lembrava mula!, eu dizia. Cheguei até a sugerir que se desse a elas o nome de brangra, mistura de branca com negra. Mas parece que mulata já havia pegado.

Em uma semana consegui entregar a carta ao homem que tinha nome de rio, que me recebeu até com vinho. Depois comprei os livros todos. Pesavam. Eram uns 15. E ainda havia guardado dinheiro para mais uma semana, matutei.

Passei esse tempo todo indo a Copacabana a fumar e a ver mulatas. Quando Manezinho fumava muito, filosofava:

– A mulata é a maior invenção dos brasileiros!

Comprei fumo-d'angola para mim e para oferecer à Sinhazinha quando voltasse. Certeza que ela ia adorar aquilo. Ela tinha um pouco da loucura do Manezinho, de quem eu já sentia saudades atravessando a serra, de volta para casa.

■

– Estou grávida!...

Me disse enquanto olhava os livros. Disse baixinho. Eu fiquei chocado, em silêncio. Ela folheava um dos livros esperando que eu dissesse algo.

Aquela idéia de ter um filho me deixou meio tonto. Mas logo pensei que poderia ser uma filha. Uma mulata! Ah, o Manezinho ia gostar de ver a minha mulatinha correndo nas areias de Copacabana. Mas só consegui dizer:

– Sabem que é meu?

– Claro que não. E nunca saberão. Sossegue.

– Mas vão saber.

Fui saindo. Fui pensar no que eu já sabia que ia pensar. Lá na cachoeira.

– Estou ao pé da cachoeira.

Saí e fui chorar o nascimento da minha mulata e a minha morte, dali a sete/oito meses. Além da cor da pele, claro, a falta do dedinho seria uma denúncia definitiva, implacável, fatal.

Tinha mais sete meses de vida. Pensei na minha mãe. Gostaria de saber que teria uma neta. Será que ela já havia visto uma mulata daquelas?

Até os três meses de gravidez ela apanhava do pai. Dizia ter o direito de saber quem era o pai. Ela segurou.

Durante ainda uns quatro meses aproveitamos o fumo-d'angola e a cachoeira. Ríamos. Como ríamos! E o amor ia crescendo. Passamos a nos amar. Mas eu ia morrer. E foi ela quem disse:

– A não ser que fujamos! Fujamos! Passa-me o cachimbo.

– Bobagem, seu pai vai nos achar até se a gente for para a África.

– Vamos fugir!

E aquilo começou a ser um plano, uma estratégia. A barriga crescendo. Tínhamos que executar a fuga antes que entrasse no oitavo mês. A parteira já havia dito isso: depois dos sete meses, o máximo de repouso.

Sinhazinha, a quem agora eu já chamava de Isabel – que era um dos seus nomes de batismo –, colocou todas as suas jóias dentro de um saco. Na madrugada antes da fuga, pegou as da mãe. Do cofre do pai tirou o que havia em dinheiro. Inclusive libras esterlinas.

Saímos às duas da manhã. Destino: Rio de Janeiro, casa do tal do Rio Branco. Depois nós nos acomodamos, dizia ela. Vamos ter dinheiro para viver alguns anos sem problemas. Apenas cuidar do nosso filho.

– Filha!

A Maria nasceu no dia 27 de setembro de 1871. Um dia antes da grande festa. A rua era uma alegria só. Havia sido aprovada a Lei do Ventre Livre. Manezinho, que foi o padrinho da nossa mulata, estava exultante. Os pretos cantavam e dançavam na rua. E fumavam daquele fumo, enlouquecidos. Posso estar enganado mas, apesar de ser setembro, acho que naquele dia estava nascendo o carnaval carioca. Muita batucada, sabe? Talvez para saudar o fato de a minha Maria ter todos os dedos. Todos. A maldição (ou seja lá o nome da coisa) é só na linhagem masculina.

Sempre achei, enquanto vivi aquela vida, que havia contribuído, de uma forma ou de outra, para aquela data.

Mas a cidade grande encantou Isabel mais do que devia. Já não fumava mais. Cheirava!

Nosso casamento desmoronando a olhos vistos. Ela se apaixonou pelo filho do já então Barão de Rio Branco, quando nosso dinheiro acabou. A cidade mudou muito as atitudes dela. E a cabeça. Ficara amiga da princesa, apenas para freqüentar a Corte. Eu detestava aquilo. Ficava na minha. Eram bailes e mais bailes, quarteto de cordas, teatro, balé. Coisa de branco.

Nosso amor de cachoeira agora era uma queda de água fria. Ela foi para a França com o Rio Branquinho. Fiquei com a minha mulatinha.

Mas eu era jovem, estava apenas com 31 anos. E havia muita mulata naquela cidade. Eu iria me dar bem. Aquela cidade tinha seus encantos.

E a Maria, agora com dez anos, prómetia! Dedos lindos, perfeitos. Só vendo.

Ficou como meu legado a este país que aprendi a gostar até morrer, em 1921, aos 71 anos. Deixei oito filhos, doze netos e cinco bisnetos. Uns, inclusive, totalmente brancos. Mas que adoravam ficar ouvindo o velho Vô Brico a contar história do tempo em que os negros eram escravos e tratados como bichos.

Um dos descendentes dele sou eu. Entendeu agora a minha pardice? Em outros envelopes, conto a história do filho dele (Antonio, meu avô), do neto (Bertin, meu pai), que você deve ter em boa lembrança. Até chegar ao seu velho e bom amigo **Mindinho**. Todos eles, claro, sem o **mindinho** da mão direita, como convém. O que a Glorinha, numa boa sacada, chamava de A Maldição dos Auriculares.

Eu quero deixar bem claro que, enquanto eu estava com a Glorinha, nunca a traí. Mas sabe que – duas ou três vezes – eu forçava umas brigas brabas com ela só para sair de casa? Aí, sim, eu fazia sem culpa nenhuma. Foi numa das separações que o caso abaixo aconteceu.

Nesta semana (a narrada abaixo), foi gerado o Fabrício. O texto não é meu, é de uma moça (aliás, tia do Fabrício) e encontrei num *blog* da rede. A versão dela é quase honesta. Eu poderia contar a minha, mas deixo quieto. Afinal, ela hoje vem a ser tia do meu filho.

Isso tudo aconteceu naquele meu período da Bíblia que você tanto me gozava.

Ah, *blog* é uma espécie de diário que as pessoas podem ter dentro da Internet. Basta você ter o endereço de um, entrar e ver o dia-a-dia de pessoas que não fazem a menor questão do anonimato de suas vidas. Veja a loucura que é este texto.

O Apocalipse *now*

Hoje me lembrei, aos 36 anos, de uma loucura que me aconteceu quando eu tinha 19.

Foi em 1985: feriadão prolongado do Dia das Crianças! Vamos pra Trindade!

Vila de Trindade é uma praia que fica entre Ubatuba e Parati. Era um reduto *hippie*, bem deserto, quase o paraíso da Bíblia. Hoje em dia já não é como antes, asfaltaram o morro do Deus-Me-Livre até a boca da praia. Antigamente, quando chovia, ninguém entrava nem saía, mas hoje, mesmo asfaltado, não é todo mundo que consegue chegar lá. A subida e a descida são muito íngremes. O seu **Mindinho** conseguiu! Sair foi mais complicado. Mas eu conto tudo depois.

O seu **Mindinho** (o nome dele é seu Fabrico, mas como ele só tem o dedo **mindinho**, todo mundo conhecia ele aqui como seu **Mindinho**) devia ter entre 35 e 40 anos (quase careca). Era bancário aposentado (acho) e trabalhava com aluguel de vans, uma novidade na época. Quando acontecia algum *show* na cidade, ele levava os artistas pra cima e pra baixo e, por isso, gostava de contar histórias, como por exemplo que a Rita Lee era linda, que fulano não dava gorjeta etc...

Dava pra ir de ônibus. Mas tinha que pegar um pra São Paulo e outro para a praia, que parava e deixava a gente no começo do Deus-Me-Livre com mala, cuia e barraca de acampamento.

Éramos nove meninas e um carinha. Eu, Doca (minha irmã), a Regina, a Gina, a Tê, a Camila, a Fabiana, a Ritinha, a Maria e o

Carlinhos. Todas as meninas faziam odontologia, menos a Fabiana e o Carlinhos, que faziam matemática, a Camila, que fazia zootecnia, e eu, jornalismo.

Ia sair o mesmo preço alugar a van e as passagens de busão. Decidimos pela van. Ligamos para o seu **Mindinho**, ele topou. Um dia antes, fomos às compras no mercado.

Nosso carrinho era assim:

– 4 caixas de cerveja

– 6 litros de caninha 51

– miojo

– algumas coisas pequenas como: chocolates (glicose), canela e cravo (pra fazer "chiboca", ou "chiboquinha", que é pinga com melado de açúcar, cravo e canela), limão (pra caipirinha), engov, sal de fruta, aspirina etc...

De comida, só miojão mesmo.

Ah... e arroz também, porque o seu **Mindinho** pediu pra incluir ele nas compras. (A gente pensou: o que será que ele come? Arroz!!!)

Tudo isso porque fomos com o dinheiro contadinho... e preferimos gastar a grana com goró, cachaça mesmo. Levamos mais umas misturas para todo mundo: molho de tomate, sardinha, atum, comida semipronta de saquinho etc...)

O seu **Mindinho** levou leite. Integral.

Neste mesmo dia, de manhã, fui atrás de maconha. Ninguém tinha, e ninguém queria viajar sem. Arrecadei a grana e fui na casa de uma amiga, a Telma, que estava pegando com o "disk-fumo", um taxista da cidade que você ligava no celular dele, combinava um lugar, e ele levava lá. Eu ia pegar 200 gramas, e a Telminha, 300. Combinamos com ele na Rua Nossa Senhora do Rosário, em frente à igreja. Ele foi. Parou o táxi do lado do meu carro, jogou uma pedra enorme de meio quilo pra dentro, pegou a grana e saiu fora. Foi a fita de fumo mais perfeita que eu já presenciei. Foi coisa de 15 minutos. Enrolamos um enorme só com a raspa da pedra e fomos fumando pra casa da Tê dividir o "pão".

Eu avisei que se alguém fosse pego com fumo, eu não ia ser testemunha de nada. Já havia tomado uma geral da vez que fui para São Tomé das Letras (MG), e não foi nada bom ficar horas na delegacia de Três Corações, com 50 gramas na calcinha *pink*. Sugeri que cada um dos dez ficasse com a sua parte e assumisse caso algo acontecesse com a polícia. Era melhor do que acharem um tijolo só, enorme.

Dividimos em nove calcinhas. E uma cueca.

Arrumamos todas as tralhas e o seu **Mindinho** passou primeiro em casa. Fomos para a Tê pegar a galera.

Fomos. Saímos daqui às 6:00 da tarde.

Eu fui na frente com ele, e o povo todo atrás. Quando olhei para o seu **Mindinho**, ao lado do volante estava um livro. Fui ver, era o Novo Testamento. Pensei: ele vai precisar mesmo.

Menos de uma hora de viagem, a gente já havia detonado uma caixa de cerva.

Fui pra trás. O papo com o seu **Mindinho** foi ficando meio pesado quando eu falei que os deuses da Bíblia na verdade eram astronautas. Ele avisou que não era pra ninguém fumar cigarro no carro. E se alguém ameaçava fumar, ele parava e mandava todo mundo descer. Cigarro careta, imagina!

Paramos pra fumar váááárias vezes.

Em todas as paradas, a gente fumava um fininho também. Juntava uma rodinha em volta da van e mandava ver! Em todos os postos de gasolina. Lembro de um posto que só tinha homem, caminhoneiro. A gente entrou, as nove meninas no banheiro feminino, bolamos um e fumamos lá dentro. Parecia uma sauna.

E o seu **Mindinho** firme.

Tomamos mais uma caixa, acabaram as geladas. Partimos pra chiboquinha. O som que rolava na van??? Bob Dylan, Zé Ramalho, Raulzito e Janis Joplin.

Perto de Ubatuba, a Fabiana pediu para mijar. Não havia nenhum posto aberto, eram umas quatro da matina. Ele parou. A Gina, bebaça já, levantou a saiona indiana e mijou ali mesmo, do lado do seu **Mindinho**. A Fabiana queria fazer cocô. Foi entrar num terreno baldio e atolou metade da perna num barro absurdo.

Voltou, sem fazer cocô e com uma bota de terra, literalmente. O seu **Mindinho** saiu correndo, pegou pano, água para limpar. Ele estava superprestativo.

Coitado!

A gente chegou no Deus-Me-Livre quase de manhã. Tava todo mundo trilouco. Cantando com a cabeça pra fora da van... Não sei como ele subiu e desceu aquele morro, mas fomos informados que a volta seria pior.

Chegamos no *camping*. Quatro pila por dia. Chuveiro frio, e já não existia mais nenhuma sombra de árvore pra acampar embaixo. Escolhemos um lugar de frente pro mar, lindo, tava começando a amanhecer e a maresia dava boas-vindas.

Perguntamos se o seu **Mindinho** queria ficar num alojamento, pensão, sei lá, e ele quis acampar com a gente (fazer o quê???). Oferecemos uma barraca e ele preferiu dormir na van mesmo.

Montamos as barracas, estacionamos a van perto. E para comemorar, fumar maconha. Fizemos um pequeno ritual na praia, o sol já estava lá, riscando um reflexo no mar infinito. Um círculo na areia, tragadas seguradas por mais tempo no pulmão e as alterações mentais do THC eram absolutamente compatíveis com a atmosfera. "Apenas apanhei na beira-mar um táxi pra estação lunar." (Zé Ramalho)

Fumamos um, dois e quando eu estava bolando o terceiro, avistei o seu **Mindinho** de calção, vindo em nossa direção. A Gina e a Regina já tinham dormido, ali na areia mesmo. Ele chegou, eu dei uma disfarçada, bebendo um gole de pinga. Ele foi caminhar na praia, sozinho. Por incrível que possa parecer, ele parecia conhecer aquele cheiro.

Amanheceu, o *camping* lotou, compramos gelo pras outras duas caixas. O seu **Mindinho** corria pra cima e pra baixo, no *camping*, lavando as panelas, trazendo gelo, montando o fogareiro. Coitado, tudo isso sem o **mindinho**!

Fizemos macarrão de almoço. Ele lavou todos os pratos. Um baseado digestivo e manda cerveja. Esticamos uma lona na frente da van. Ficou muito legal, uma puta sombra, isopor com cerva e maconha: ninguém queria mais nada.

Aconteceu que as nossas barracas viraram *point* do *camping* (claro, nove meninas). Todo mundo que passava lá ficava. Chegou um negão, que tocava um *blues* violento, e se empolgou com o Carlinhos na gaita. "Estou sentado em minha cama, tomando o meu café pra fumar. Estou sentado em minha cama, tomando o meu café pra fumar, estou na clínica Tobias, sou um canceriano sem lar." (Raulzito)

Ficamos lá. O seu **Mindinho** dormiu embaixo da van (pensei que a fumaça da maconha teria feito algum efeito sobre ele. Ficou horas lá embaixo. Numa boa!).

Quando ele acordou, já tinha mais umas dez pessoas, fora a gente, o negão tocando *blues*, e um cachimbo enorme passando. Enorme! Ele abriu um olho enorme também. (Vai ver, pensou que era *crack*.) Sentou e ficou só observando.

De repente, um menino aparece gritando, chamando um médico. Não apareceu nenhum. Foi o seu **Mindinho** e a mulherada que fazia odontologia ver o que acontecia. Um carinha tava tendo convulsão, de muito álcool. Tava lá se debatendo e vomitando, e os amigos dele só rindo.O seu **Mindinho** virou ele de lado, colocou na sombra, deu água. Depois, ainda ficou uns 15 minutos plantado do lado do garoto.

Coitado!

Voltou e agora o povo já tava dando pirueta no *camping*. Ele decidiu que não ia dormir. Ficou lá no canto, só olhando. Pegou o Novo Testamento. Acabou tudo, cerveja e pinga, no primeiro dia.

Uma menina doida, da barraca ao lado, chegou pra mim, na hora que eu estava fazendo macarrão pra janta, junto com o seu **Mindinho,** e perguntou:

– Vocês têm molho de tomate aí???

– Tem, vou usar aqui, pode pegar um pouco – seu **Mindinho** falou.

A menina abriu a lata, com o abridor, e começou a comer o molho de colherada, sem parar. O seu **Mindinho** ficou atônito, e ela:

– Ai, gente, obrigada. É que o macarrão que eu comi agora não tinha molho nenhum, precisava comer um pouco de molho agora. Valeu! Tchau...

Ele deu a lata pra ela.

Chegaram uns meninos de Barretos, que se fixaram na nossa barraca também. Era o Tuim, e o Risadinha (a gente que apelidou), uns 18 anos. O Risadinha não parava de rir um segundo, parecia que ele ia ter câimbra na bochecha e estava completamente empanado de areia, na boca, no nariz. O Tuim tava com uma lata de cerveja na mão, que tinha de tudo misturado (nojento), batida de coco, vinho, cerveja e uísque, tudo junto, e ele bebendo (argh!). Eles haviam tomado "bicicletinha" que é tipo um ácido (na verdade, é anfetamina) que te deixa ligadão, bebendo todas. Todo mundo que passava bebendo, o Tuim pedia pra pôr um pouco lá na latinha dele.

O Risadinha riu todos os dias, sem parar um segundo. Dormia e acordava rindo. No último dia, ele chorou. Tava com medo de não voltar ao normal da loucura e chegar em casa naquele estado. O motorista da van deles já tinha ido embora fazia tempo.

Nosso acampamento virou "As barracas das Dorme Suja". Tudo porque ninguém tomava banho. No máximo, uma enxaguadinha na bica d'água. Mas é foda ficar com água do mar no corpo, terra no cabelo. Que saudades do meu banho quente com xampu, creme, sabonete e buchinha. Eu pareço uma louca no banheiro, cheia de coisinhas. Eu nunca havia acampado.

De noite, a garota que comeu o molho de tomate ficou com o Tuim, porque todo mundo tinha saído do acampamento, e eles transaram ali mesmo, na areia, fora da barraca do acampamento. Eles só não viram que o seu **Mindinho** estava na van. E viu tudinho! Esta hora eu tinha ido pegar uma seda na minha barraca e vi que ele tava vendo. E parecia gostar. Estava com o olho meio viradão. Devia estar se masturbando. Hoje, 16 anos depois, tenho certeza. Quem diria!

O seu **Mindinho** agüentou dois dias. No terceiro dia, sumiu, fiquei sabendo que ele havia estado na igrejinha da praia. E depois, almoçou sozinho, e à noite, assistiu novela. Sumiu e levou o leite. Neste dia a minha irmã também sumiu.

Eu chapei demais. Tava todo mundo no cio naquela praia. Todo mundo ficando com todo mundo. E eu a fim de ficar sozinha (acabado de terminar com o Rodrigo). A não ser que um belo caiçara moreno, alto, musculoso aparecesse, né? Ninguém é de ferro também. Fiz o seguinte: fui pra praia no luau, peguei meio litro de pinga, um "beise" enorme e fui fumar sozinha, no meio da praia, distante da barulheira.

De longe, fiquei vendo o povo. A lua tava cheia, fazia até sombra. As pessoas fizeram buracos redondos na areia e colocavam velas dentro. Ficava muito lindo de longe. Todo mundo dançando, e o som era do Jimmy Hendrix. Básico!

Eu pensei que estava viajando, quando vi no meio do mar umas bolas de fogo e me passou pela cabeça que poderiam ser óvnis. Eram uns caras, engolidores de fogo, que depois foram vindo na praia fazendo malabarismo com bastões incendiados. Muito doido! Lisérgico!

Enfim, todos sobrevivemos às quatro noites sem dormir. O seu **Mindinho** voltou no último dia. A van estava destruída, toda suja (cozinha oficial do *camping*).

Na volta, fumamos um dentro da van, quer dizer, com o "beise" pra fora do vidro, no congestionamento (acredita?).

Chegando aqui na cidade, ele deixou um por um nas casas, e, no outro dia, veio trazer um cantil e outros negócios que havíamos deixado na van. Entre elas, um cachimbo cheiroso.

Ele só dizia:

– É o Apocalipse! É o Apocalipse!

Coitado!

Mas é verdade. A praia era só cheiro de maconha. Juro. Tava todo mundo no cio, louco de anfetamina, álcool, tudo.

Foi doido demais.

Isso tudo foi há 16 anos. Nove meses depois da nossa volta, a minha irmã deu à luz. Jurou que foi um dos meninos de Barretos. Mas o bebê nasceu com um problema congênito: não tem o dedo **mindinho**. Na mão direita. E se chama Fabrício.

A Glorinha, na véspera de morrer, depois de dias em coma, abriu os olhos e – olhando bem no fundo de mim – disse: "não deixe o Fabrício ter complexos. Isso vai acabar com a esposa dele." Eu fiquei com a boca aberta mesmo. Nunca poderia imaginar que ela soubesse do meu filho.

Mas vamos ao que interessa. Aqui você vai saber, finalmente, por que têm umas pessoas que deixam a unha do **mindinho** comprida. Não é nem para limpar o nariz e muito menos a orelha. Muito menos, ainda, o umbigo.

O fato é histórico e quem me contou foi o ex-governador de Pernambuco, Joaquim Francisco, quando eu fui lá para Recife, em 89, ser locutor da campanha dele junto com o Ricardão Carvalho. E é verdade. Um dia, o futuro governador, numa mesa de bar, contou a origem da bobagem.

Fui pesquisar e descobri tudo. Levei o trabalho a sério. Cheguei a ir ao Rio visitar os arquivos da Biblioteca Nacional, falei com mestres e acadêmicos. Questionei o porquê dessa idiossincrasia sobre a unha, por mais de um ano. Claro que já era na época da Internet. Realmente a história é verídica.

Descobri quem foi o primeiro idiota a deixar a unha do **mindinho** crescer. Foi em 1888, no Rio de Janeiro. Mas o elemento era mineiro. E se chamava Zeca Junqueira, latifundiário do Triângulo Mineiro. Está tudo nos livros. Várias partes deste conto estão escritas com o português de Portugal. Avisa a revisão!

Zeca Junqueira, o pioneiro da unha comprida

"Desde 1 hora da tarde de anteontem começou a afluir no Arsenal da Marinha da Corte grande número de senhoras e cavalheiros que ali iam esperar a chegada de Sua Alteza a Princesa Imperial Regente, Isabel Cristina Leopoldina Augusta Micaela Gabriela Rafaela Gonzaga de Bragança.

À 2 horas e $^{3}/_{4}$ da tarde chegou a galeota imperial trazendo a seu bordo Sua Alteza a Princesa Regente acompanhada de seu augusto esposo Sua Alteza o Sr. Conde d'Eu, general Miranda Reis, e chefe de divisão João Mendes Salgado e dos ministros de Agricultura e Império.

Sua Alteza trajava um vestido de sêda cor de pérolas, guarneado de rendas valencianas. Ao saltar no Arsenal foi Sua Alteza vistoriada pelas senhoras que ali se achavam, erguendo-se vivas a Sua Alteza e a Sua Magestade o Imperador.

À 2 1/2 horas da tarde já era difícil atravessar-se o perímetro compreendido nas proximidades do paço da cidade. Calculamos para mais de 10.000 o número de cidadãos, que ali aguardavam a chegada de Sua Alteza Princesa Regente.

Pouco antes das 3 horas da tarde, anunciada a chegada de Sua Alteza por entusiasmáticos gritos do povo, que em delírio a aclamava, abrindo alas, ministério, camaristas e damas do paço vieram recebê-la à porta.

Acompanhada de seu augusto esposo, subiu a princesa, tendo formado alas na sacada grande número de senhoras que atiravam flores sobre a excelsa Regente.

Em seguida a comissão do senado fez a sua entrada na sala do trono para apresentar a Sua Alteza os autógrafos da lei. Nesta raia acham-se à direita do trono ministros e à esquerda os semanários e damas do paço. A comissão colocou-se em frente ao trono, junto ao qual estava Sua Alteza, de pé, então o sr. Senador Dantas, relator da comissão, depois de proferir algumas palavras, entregou os autógrafos ao presidente do conselho, para que este, por sua vez, os entregasse a Sua Alteza.

O sr. ministro de Agricultura, depois de traçar por baixo dos autógrafos o seguinte: – Princesa Imperial Regente em nome de S.M. o Imperador, consente – entregou-os a Sua Alteza que os assinou bem como o decreto, servindo-se da riquíssima e delicada pena de ouro que lhe foi oferecida.

O povo que se aglomerava em frente do paço, ao saber que já estava sancionada a grande Lei chamou Sua Alteza, que aparecendo à janela, foi saudada por estrepitosos vivas." (*Gazeta da Tarde*, 15 de maio de 1888)

Um dia antes, 12 de maio, Zeca Junqueira, numa mesa do Bar Lamas, depois de se fixar no espelho junto à mesa – mais do que o tempo devido –, abriu o jornal e leu, quase com asco, para os seus companheiros, depois de mais um gole de absinto:

– "Requeiro que seja nomeada pelo Presidente do Senado uma commissão especial, de cinco membros, para dar parecer sobre a proposta do Poder Executivo convertida em projecto de lei pela Camara dos Deputados, extinguindo desde esta data a escravidão no Brasil" (deu um soco na mesa). Assinado pelo Dantas, aquele aldrabão de primeira!

– É questão de semanas! – disse o baixinho-gordinho-careca com ares de quem estava por dentro dos assuntos palacianos.

– Dias! Dias! – retrucou Zeca Junqueira. – Isso não passa de sexta-feira. Senhor Lamas, onde meteste a garrafa?

Zeca Junqueira era herdeiro. Herdeiro profissional. Sua frase mais constante: nunca trabalhei na vida! Seu medo, seu pavor, era que, com a libertação geral dos escravos, talvez tivesse que colocar a mão na massa, trabalhar. Na época, todos os trabalhos eram manuais. Ser um funcionário? Um amanuense?

Tinha uns 40 anos e a fama de estar no Rio a flanar porque teria cometido um crime em Desemboque, Triângulo Mineiro. Que ele andava armado, todo mundo sabia. Mas ninguém perguntava nada.

Magro, muito magro e alto. Como diria o Nelson Rodrigues, se já nascido houvesse, "todo canalha é magro". Nariz adunco, pele marcada por tempos crudelíssimos de adolescentes espinhas. Crateras.

E ele estava certo. Foi no dia seguinte, 13 de maio, mal sabendo ele que a data iria se perpetuar em tantos desfiles de Escola de Samba. No dia 15, os jornais não falavam noutro assunto. Zeca passou na livraria e leu as manchetes.

> **Viva a Pátria Livre! A Liberdade dos Escravos é Hoje Lei do País** (*O Carbonário*)
> **Brasil Livre! Treze de Maio! Extinção dos Escravos** (*Gazeta de Notícias*)
> **As Festas da Igualdade** (*Cidade do Rio*)
> **Ave, Libertas!** (*O Paiz*)

Zeca Junqueira sumiu misteriosamente da cidade no dia seguinte.

Passaram-se algumas semanas e o senhor Lamas começou a liberar a sempre reservada mesa do senhor Junqueira.

"Hoje como que nos sentimos em uma pátria nova, respirando um ambiente mais puro, lobrigando mais vastos horizontes. O futuro além se nos mostra risonho e como que nos acena para um abraço de grandezas. Nós caminhavamos para a luz, através de uma sombra enorme e densa, projetada por essa assombrosa barreira colocada em meio da estrada que trilhavamos – a escravidão. Para que sobre nós se projetasse um pouco dessa luz interna, que se derrama pelas nações cultas, era preciso que essa barreira caisse."

Dois meses depois, o senhor Zeca Junqueira voltou ao Rio de Janeiro e ao Bar Lamas. Acompanhado.

No primeiro gole, ainda no balcão, todos perceberam o **mindinho** da mão direita levantado junto à taça de champanha. Zeca Junqueira, sabia-se lá o porquê, durante dois longos meses, havia deixado a unha daquele dedo crescer. O **mindinho** direito. Imensa, a unha.

E quem seria aquele negro que agora o acompanhava como fiel escudeiro e que nunca abria a boca?

Era Chico Ligeiro. O que ninguém ali, naquela hora, dando tapinhas nas costas do companheiro de boêmia que voltava, o que ninguém sabia é que sobre as costas daquele negro imenso sete mortes repousavam. E que ele estava ali para matar mais uma pessoa. Ou duas.

Zeca Junqueira não ia deixar a coisa quieta. Não era nem a princesa que ele queria eliminar. Era o próprio Imperador. Se possível, também a Redentora. Mas a meta era mesmo o homem, o patife. Cáspite!

Quanto à unha, foi logo lançando a moda:

– Senhores, isso aqui – e hirtava o **mindinho**, orgulhoso, soberbo – é a prova definitiva que eu continuo a não trabalhar. É um símbolo. É a marca registrada da ociosidade de nós, os ricos, os que podemos. Aconselho-os a fazer o mesmo. Assim, ao nos verem, pensarão: ali está um brasileiro bem-sucedido: nunca trabalhou! *Status*, amigos.

– O que é *status*? – perguntou aquele careca baixinho.

– *Status*, senhor Josias, é ter a unha do **mindinho** comprida. Quanto maior, maior é o *status*.

Parece que ninguém entendeu o significado da palavrinha recém-chegada da Inglaterra. O homem possuía *status*. Eles também. Menor, mas possuíam.

– Enfim, demonstra que nós não estamos a trabalhar. Nunca! Jamais! Quem tem uma unha como esta aqui, mal consegue assinar o próprio nome.

Sentados de madrugada nas escadarias do Teatro Santana, Zeca Junqueira e seu fiel escudeiro urdiam e tramavam.

– Lincoln, meu bravo escravo, foi morto dentro de um teatro. O Imperador será morto saindo do teatro. Na pior das hipóteses, entramos para a História. E fiques tranqüilo, serviçal, que a República está a bater na nossa porta. Vamos apenas acelerar o processo. E eu estou assim, ó, com os republicanos.

Zeca aponta a janela de um sobrado em frente ao teatro.

– Aquela é a janela. O quarto já está alugado. Você deve chegar logo depois do almoço. Após o espetáculo, feito o serviço, desça. Vai estar o maior corre-corre por aqui. Estarei a te esperar ali, naquela esquina. Estás a ver? Vamos direto para as Minas Gerais.

– Sim, senhor.

– Alguma dúvida?

– Não, senhor!

– E se tempo e mira houver, que seja a segunda para a Redentora!

E recostou-se nos degraus do teatro às gargalhadas.

E, para que vocês acreditem na empreitada de Zeca Junqueira, basta ler o jornal *Novidades*, de 16 de julho de 1889. Deu nos periódicos.

"Representava-se ontem no Sant'Anna a 'Escola dos Maridos', tradução de Arthur Azevedo e, nos intervalos, apresentava-se ao público a prodigiosa violinista Giulietta Dionesi. S.M. o Imperador, que desejava conhecer a tradução, tanto que supondo-a impressa mandara procurá-la pelas livrarias, aproveitou o ensejo de ir ao teatro.

O Sant'Anna achava-se repleto: platéia e camarotes ocupados por pessoas da melhor sociedade; as galerias cheias da gente que de ordinário a freqüenta. No camarote imperial achavam-se, além de SS. MM. o Imperador e a Imperatriz, SS. AA. a Sra. Princesa Imperial e o Sr. D. Pedro Augusto, os camaristas de semana. O espetáculo correu na melhor ordem. A atitude do povo era de todo o ponto pacífica e cortês. Nem se quer se poderia suspeitar na desordem que mais tarde aconteceria.

Terminado o espetáculo, o povo que enchia o teatro procurou as saídas. A família imperial dirigiu-se para a porta, indo na frente a Sra. Princesa Imperial, seguida de Sua Magestade o Imperador, que dava o braço a Sua Magestade a Imperatriz e do Sr. Príncipe D. Pedro.

O povo encostado para os lados, abria caminho a SS. MM., em silêncio. Ao chegarem ao vestíbulo do teatro, de um pequeno grupo de pessoas de baixa classe partiu um grito estentórico: 'Viva o Partido Republicano'. O Imperador parou imediatamente. Começou então uma confusão extraordinária. Grande número de pessoas prorrompeu em vivas ao Imperador, acercando-se dele. As senhoras, tomadas de pânico, precipitavam-se para o interior do teatro, de onde refluíam, empurradas pela onda dos que saiam. O tumulto generalizara-se: tanto na rua do Espírito Santo, como no largo do Rocio, nas cercanias do teatro, vivas desencontrados se ouviram. Finalmente, pôde S.M. tomar o carro, seguindo acompanhado do piquete, que o guardava de espadas desembainhadas.

Ao passar, porém, pela frente da Maison Moderne, foram disparados três tiros de revólver na direção do carro que o conduzia. Asseguram-nos que um desses tiros quase alcançou o Sr. D. Pedro Augusto.

Felizmente S.M. o Imperador passou incólume. O sentimento da mais profunda indignação pintou-se em todos os semblantes dos que foram testemunhas desse baixo atentado."

Zeca e o fiel escravo já estavam longe dali, quase chegando a Petrópolis, dois dias depois, e não pôde ler o jornal da oposição (*República Brazileira*) limpando a própria barra: "Nós, os republicanos, nada temos com essas arruaças, que devem ser levadas somente à conta da polícia disfarçada e da guarda criada para garantia do trono."

E, para complementar o incidente, veja o editorial da *Gazeta da Tarde*. Parece ter sido escrito hoje:

"Infelizmente, houve ontem um atentado que não podemos atribuir senão à inconsciência de quem o praticou: ou loucura ou embriaguez, pois, por honra do Partido Republicano, não acreditamos que tal ato dele partisse. Esse triste acontecimento é ainda uma das conseqüências da profunda anarquia que lavra nos espíritos do Brasil, onde todas as noções de direito, dever e liberdade acham-se completamente obliteradas."

Zeca Junqueira mandou matar o seu pistoleiro assim que chegou ao Triângulo. Não havia mais cúmplice, nem testemunha. E nunca ninguém foi preso pelo atentado.

Quando Zeca voltou ao Rio de Janeiro, meses depois, já estava a República instalada. A família imperial, na Europa.

Ao entrar no Lamas, viu toda a sua turma. Todos, é claro, com imensos *status*. E dá-lhes absinto, senhor Lamas, porque uma nova era estava começando no Brasil. Uma era de brasileiros como o senhor Zeca Junqueira.

Zeca Junqueira morreu antes da virada do século, vítima de sífilis. Antes de ir para o caixão, sua esposa cortou sua unha. Cheirava mal, muito mal.

Logo que fui descobrindo os meandros (*sic*) da Internet, escrevi para vários cronistas que eu admiro, perguntando se tinham alguma crônica sobre o dedo **mindinho**. Devo confessar que a idéia foi da Glorinha. Desde que ela descobriu que eu estava juntando todo o meu material para um possível livro, tem me dado o maior apoio.

Acredita que só o João Ubaldo Ribeiro me respondeu? Aconteceu uma mindiúnica troca de alguns *e-mails*. Veja você:

João Ubaldo Ribeiro

"Tive vários amigos que usavam unha comprida no **mindinho** para limpar as orelhas, notadamente o pranteado finado Zé de Honorina, meu amigo. Dizem-me também que é útil para tirar sujo de umbigo afundado e meter o dedo no cu para cheirar. Trata-se de respostas absolutamente sérias, eis que não sou homem de leviandades. J.U."

No mesmo dia, logo depois, antes mesmo de eu ter agradecido ao primeiro, chegou mais um. Parece que ele gostou de pensar a respeito.

"Devo fazer algumas observações sobre o *e-mail* anterior. Em primeiro lugar, as estatísticas sobre tirar sujeira do umbigo e meter o **mindinho** no cu para cheirar são vastamente subestimadas. É incrível o número de pessoas que, se tiverem confiança, admitirão a prática desses delitos. Não recomendo. Um cotonete embebido em álcool é muito melhor para tirar sujo de umbigo do que uma agressiva unha crescida. Por outro lado, me garantem que, deixada em acumulação por várias semanas, a cera de ouvido sai da unha comprida do **mindinho** com um prazer só acessível aos bem iniciados. Quanto a dedo no cu, prefiro um indicador de unha aparada (cu sensível e delicado). Já os comedores de meleca (muitíssimo mais numerosos do que eu supunha antes de fazer uma melindrosa pesquisa) dizem, em alta porcentagem, que só uma unha comprida no dedo **mindinho** é capaz de convencer o melecófago de que ele já comeu tudo a que tinha direito. Eu mesmo jamais fui comedor de meleca, mas, mediante um pequeno suborno, sou capaz de dedar vários. Trinta dólares, por favor. J.U."

Nota do autor: Como eu sei que o **Mindinho** era quase mentiroso, resolvi consultar o João Ubaldo para saber se o texto era dele mesmo e se podia colocar no livro.

"Que livro? Por mim, pode, mas eu não como meleca e só botei o dedo no cu para cheirar ainda muito menino, só para saber como era. Não gostei muito. Solicito maiores detalhes sobre o que você vai fazer. Abraços. J.U."

Outra nota: Mandei o projeto para ele ficar sabendo que fria era essa.

"Querido Macprata,

I love you e, portanto, não lhe posso negar nada. Use meu texto como quiser. Aceito sua sugestão de mo (pardon) mandar, porque pode haver alguma coisa que por acaso não vá dar certo, embora eu duvide. Enfim, se usar, use com caridade: se me mostrar, aceite também com caridade a minha opinião. Beijos do velho J.U."

Vá lá, mais uma notinha: Mandei tudo nos conforme e ele me respondeu o que segue.

"Tudo certo, Macprata. Que é que você me pede que eu não faço? Só não faço dar o rabo, porque, se já não dei até hoje, é extremamente deselegante começar aos 60. Beijos de seu amigo J.U."

Além daqueles *e-mails* do João Ubaldo Ribeiro, recebi o relato abaixo de um outro escritor. Mas ele preferiu o anonimato.

Querido senhor **Mindinho**:

Te dou essas informações sob uma condição: não ser citado. Isso porque estamos ambos com pressa e, se não é para aparecer meu nome, não preciso ficar preocupado com qualidade de texto e posso mandar o cacete. Topas?

Ok. A porra do **mindinho**. Na véspera de Natal eu fui até uma banca de jornais. No bolso dianteiro da calça *jeans* levava algumas notas de dinheiro. Na hora de pagar, enfiei bruscamente a mão esquerda no bolso e aí senti uma dor brutal, como se tivessem enfiado uma agulha de aço no meu cérebro. A mão entrara inteira no bolso, mas a falangeta – o ossinho da ponta do **mindinho** – tinha ficado embolada na boca do bolso. Antes de entrar no mérito da falta que um **mindinho** nos faz, preciso lhe relatar o meu calvário hospitalar. Foi um negócio tão inacreditável que não resisti e mandei pro Fernando Henrique Cardoso o seguinte *e-mail*:

■

Para: Presidente FHC

Assunto: **Mindinho** quebrado

Divergências decorrentes da sua opção pela treva neoliberal não sepultam uma relação quase bíblica, como a nossa, que é a de vizinhos. Pois é como vizinho que quero aconselhá-lo: caso o senhor destronque a falange do dedo mínimo, pode bater até num dos hospitais do governo, mas jamais passe na porta do Samaritano, a 200 metros da sua casa.

Na noite de Natal eu caí lá. Para encurtar a conversa, que é assim que a Internet gosta: após duas horas de espera, à mercê de um enfermeiro *borderline* ("é o champanhe...", dizia ele, "é o champanhe..."), veio a conta. Só a consulta custou R$ 190. Mais radiografia, gaze, esparadrapo e estacionamento, deixei no Samaritano (que ironia, o da Bíblia é um modelo de caridade...) para mais de dois salários mínimos.

E não corra o risco de voltar lá – ainda que seja para renovar um modesto curativo: eles vão lhe tomar mais R$ 289 (190 da consulta, 39 do enfermeiro, 20 de esparadrapo, mertiolate, água oxigenada e gaze, 34 de taxas e 6 de estacionamento). Mas se o senhor for à farmácia da praça Vilaboim, resolve tudo isso por modestos R$ 6,70.

P.S.1: Não conte essa história para o Serra, senão ele é capaz de quebrar o dedo só para ir lá, dar uma incerta. Com o Jornal Nacional atrás, claro.

P.S.2: Será que esses 34 de "taxas" pingam no pires do D'Allacqua, secretário da Fazenda?

■

Mas aí é que entra o negócio do filme *Bonnie and Clyde*. Na história, o personagem Clyde Barrow, vivido por Warren Beatty, mancava como se fosse um perneta, ou no mínimo um coxo. À certa altura do filme, ele conta à namorada, Bonnie Parker (interpretada pela ainda deliciosa Faye Dunaway), que passara a capengar daquele jeito desde que decepara o **mindinho** do próprio pé, com uma machadinha, para escapar do serviço militar. Quando vi o filme, a explicação me pareceu fantasiosa: a ausência de um único dedo do pé não poderia produzir conseqüências tão drásticas. Tempos depois, conversando com um ortopedista, ele confirmou que era assim mesmo.

E sabe por que o filme me veio à cabeça, quando quebrei o **mindinho**? Rapaz, porque você simplesmente passa a andar como um velhinho, pé ante pé, arrastando a sola do sapato no chão, de medo de cair e estropiar outros dedos (ou, o que seria pior, cair sobre o próprio **mindinho** enfermo). Durante as seis semanas que passei com o dedo em recuperação, eu, que corro 7 quilômetros toda manhã, me converti num octogenário. Só me sentia seguro para andar depressa e recobrar a agilidade quando estava de tênis nos pés.

Bom, meu velho... Aí damos um giro de 360 graus e vamos bater lá em Washington. No final do seu mandato o Presidente Bill Clinton recebeu na Casa Branca o escritor colombiano Gabriel García Márquez para uma entrevista. Ao ver Clinton de terno e gravata, e de tênis nos pés, Gabo quis saber se ele estava lançando uma nova moda para homens. O presidente americano disse que não, que não era moda, mas segurança. Segundo ele, as estatísticas demonstravam que a maioria dos homens que sofreram acidentes graves depois dos 50 anos (idade em que a cura de problemas ósseos é mais difícil) tinha sido vítima de escorregões quando usava sapatos de solado de couro.

Tempos depois ele voltaria ao assunto em uma entrevista a um *talk-show* da tv americana. Dessa vez Bill Clinton contou que durante a ditadura militar brasileira ele vira uma foto insólita: o premiê canadense Pierre Trudeau desembarcando no Galeão para uma visita oficial ao Brasil, de paletó e gravata – e tênis brancos nos pés. Clinton achava que o dirigente canadense fizera aquilo para humilhar os militares brasileiros – e só muitos anos depois, ao comentar o assunto com o próprio Trudeau, soube que o gesto nada teve de ideológico: ele também usava tênis com medo dos tombos.

Agora eu entro e acrescento o seguinte: nas últimas semanas, vi duas celebridades políticas – ambas já bem passadas dos 50 – com os pés enfiados em reluzentes tênis. A primeira foi no dia 26, nas comemorações do aniversário da Revolução Cubana. Puxando uma passeata de dois milhões de pessoas pelas ruas de Havana, lá estava Fidel Castro com seu velho uniforme verde-oliva e usando, no lugar dos coturnos, tênis novinhos em folha. Na *Veja* de duas semanas atrás aparece o ex-presidente José Sarney supervisionando as filmagens de um de seus livros. Calça de gabardine, camisa de colarinho abotoada nos pulsos... E nos pés? Um par de sólidos e seguros tênis brancos.

Bem, e finalmente, a história do carinha meu amigo. Para falar a verdade, nem sei se vale a pena. Vê lá. Não pode identificá-lo (ele não foi condenado por esse crime).

No dia 25 de fevereiro de 1973, um comando da ALN – Ação Libertadora Nacional, organização chefiada por Marighella – saiu de fusca de SP e foi para o Rio, estacionando na porta de um prédio na Avenida N. S. de Copacabana, numa ensolarada manhã de sábado. Minutos depois saiu de um prédio, de bermudas e camisão (sob o qual levava uma automática calibre 45), o delegado Otavinho, do DOI-CODI de SP, TFP e torturador implacável. Otavinho estava jurado de morte por várias organizações guerrilheiras. Do fusca desceram dois sujeitos, um japonês e um velhinho careca, cada um carregando uma esteira de praia debaixo do braço (um terceiro homem permaneceu na direção do fusca). Os dois seguiram Otavinho por alguns metros, e quando estavam a poucos centímetros de suas costas, o velhinho não resistiu e chamou-o pelo nome:

– Otavinho!

O policial virou a cabeça para trás por uma fração de segundo – tempo suficiente para saber que quem o matava era o velhinho que ele pendurara em um pau-de-arara e em cujo ânus enfiara um cabo de vassoura. De dentro de cada esteira enrolada saiu uma língua de fogo, produzindo nas costas de Otavinho – por onde entrara o chumbo das escopetas calibre 12 disparadas pelos dois guerrilheiros – um buraco do tamanho de um punho fechado. Na saída dos projéteis, no peito do policial, o estrago era indescritível: os tiros tinham arrancado tudo o que encontraram pela frente, abrindo um rombo que ia do umbigo à garganta do morto, fazendo sumir todas as vísceras do policial.

O velhinho era esse amigo meu, ex-metalúrgico, ex-porteiro de prédio, que tinha uma peculiaridade: o **mindinho** dele era grudado ao médio, e o indicador ao anular. Com dedos tão grossos, ele não conseguia atirar de revólver ou pistola, mas só de carabina (ou lupara, ou escopeta).

A ChrisAngel eu também conheci num *chat*. É de São Paulo, é professora e, quando soube que eu não tinha o **mindinho**, me mandou este *e-mail* muito simpático.

Você acredita que a Glorinha foi até a escola, ficou na saída para ver quem era? Acho que a muleta que a Glorinha está pegando agora é a do ciúme. Ciúmes de um aleijado, imagina. Ruim com ela, pior sem ela.

Oi

Lá no Google vc vai encontrar umas bobagens boas a respeito do tal dedo.

A propósito, eu chamo de minguinho. Dá tudo no mesmo.

Por enquanto, colo essa brincadeira que achei.

Beijos, no **mindinho**.

Dedo minguinho
Seu vizinho
Pai de todos

Fura bolo
Mata piolho

Este diz que quer comer
Este diz que não tem de que
Este diz que vai roubar
Este diz que não vá lá
Este diz que Deus dará

Dedo **mindinho**
Seu vizinho
Maior de todos
Fura bolos
Cata piolhos

Este diz que está com fome
Este diz não tem o que
Este diz vai furtar
Este diz que não vá lá
Este diz que Deus dará

■

Teófilo Braga, O *povo português*, I, 310, registra variantes portuguesas.

Dom Francisco Manuel de Melo, na *Feira de Anexins*, menciona o nome já popular no século XVII dos cinco dedos:

Erga o dedo para o ar.
O senhor aqui é o maior de todos.
Cuidei que era o mata piolho.
À vista de vosmecê sou o **mindinho**.

E eu seu vizinho.
Pois eu serei o fura bolos.

■

Uma variante de Açores:

Este diz que quer comer
Este diz que não tem que
Este diz que Deus dará
Este diz que furtará
E este diz: Alto lá.

(Nota de Luís da Câmara Cascudo, in ROMERO, Sílvio. *Cantos populares do Brasil.*)

Você se lembra que eu fiquei anos e anos a procurar uma mulher que também não tivesse o **mindinho**, para me casar. Até conhecer a Glorinha, que havia perdido o mesmo dedo nas máquinas da fábrica de seda. Mas havia uma incompatibilidade. O meu não-**mindinho** era real, o dela não. Isso foi no comecinho dos anos 70. Depois eu falo mais da Glorinha. Vamos ao que interessa.

O caso narrado aqui aconteceu no interior de São Paulo, na cidade de Uchôa, em 1949, e não tem nada a ver com a Glorinha e muito menos comigo. Você deve se lembrar que eu morei lá no começo dos anos 70 (numa das minhas separações), quando abri uma sapataria especializada só em sapatos femininos. Gostava de pegar naqueles pezinhos e dedinhos uchoenses. **Mindinhos** de Uchôa! Mas fali – é claro – e fiquei malfalado na cidade depois daquela acusação de assassinato. Mesmo assim Glorinha-Perereca me recebeu de volta, como convém, nestes momentos.

Aquele caso – onde eu fui acusado de um crime – está em outro envelope da caixa. O que interessa aqui é que, enquanto fiquei preso (pouco mais de um mês), peguei amizade com o delegado e, como ele sabia que eu gostava de ler, me deu acesso aos processos de crimes famosos da cidade (nessa época eu já estava pensando em prestar Direito em Bauru). Inacreditáveis. O que eu transcrevo aqui (na íntegra) trata-se de um crime passional que abalou a cidade. Ficou conhecido como

O crime da porta

Secretaria de Estado dos Negócios da Segurança Pública
Polícia Civil do Estado de São Paulo
Distrito Policial de Uchôa (SP)

Termo de Declarações – IP 876/49

Aos 15 de dezembro de 1949, nesta cidade de Uchôa, na Delegacia de Uchôa, onde se achava o Doutor Fábio Sammarco, comigo escrivão de seu cargo ao final assinado, compareceu LUIS ESTEVÃO CARNEIRO FERNANDES, RG 563.988/SSP-SP, FILHO DE ESTEVÃO DA SILVA FERNANDES E LUCI CARNEIRO FERNANDES, NATURAL DE SÃO JOSÉ DO RIO PRETO (SP) AOS 24.10.1920, BRANCO, VIÚVO, MARCENEIRO, RESIDENTE A RUA LUIS GAMA, 500, UCHÔA (SP). Sabendo ler e escrever, declarou que:

– Que, no dia 30 de novembro deste ano de 1949, o Uchôa Futebol Clube estava disputando a final do campeonato da segunda divisão Paulista com o Guarani, de Campinas, no Pacaembu. Que, o jogo estava sendo transmitido pela Uchôa Rádio Clube, ZYB-3. Que, ele não podia ouvir o jogo, porque o rádio estava lá na sala tocando música e ele estava lá no fundo, depois do quintal, na sua marcenaria, fazendo uma porta. Que, ele estava fazendo aquela porta e não ouvindo o jogo, como gostaria, forçado por Tristão Rocha (a identificação do falecido já consta dos autos).

– Que, aquilo era uma sacanagem com ele, porque o Espanador, *center-half* do time do Uchôa, era seu irmão. E fez questão de dizer – sem ser indagado – toda a escalação da equipe: Batistela, Pé e Mimosa. Espanador, Santo e Rudge. Ataíde, Natalino, Miranda (o artilheiro da campanha, com 14 tentos – frisou), Viana e Panadeiro.

– Que, ele conhecia o já mencionado Tristão e que sabia que era amante de sua mulher Maria Lucia, dita Lu.

– Que, o Tristão havia encomendado a porta naquele dia e para aquela hora, para sacanear ele e ficar lá dentro com a sua mulher, a Maria Lucia, dita Lu.

– Que, era, sim, corno manso. Que, sabia que todo mundo na cidade tinha conhecimento que ele era corno manso. Que, tinha medo do Tristão. Que, o dinheiro daquela porta ia pagar todas as suas dívidas. Que, a música que vinha de dentro da sua casa era tango. Que, ele ficou imaginando os dois dançando lá dentro enquanto ia fazendo a porta. Que, era uma porta cheia de lero-lero, porque o Tristão era muito rico e dava muito dinheiro para a Maria Lucia, dita Lu. Ele não se importava. Que, é a vida!

– Que, a distância entre a porta da sua casa (RUA LUIS GAMA, 500) e a sua oficina era de uns dez metros e que havia uma mangueira e uma jaboticabeira no meio.

– Que, já devia ter terminado o primeiro tempo quando ele, irritado, descuidou-se e estraçalhou o dedo **mindinho** na serra elétrica. Que, saiu muito sangue. Que, só ele tinha serra elétrica na cidade, marca Hudson. Que, decepou na hora e ele pegou um pano, enrolou e saiu correndo para a Santa Casa, passando pela sala sem ao menos perceber que a sua mulher estava nua e nem o viu. Que, ele acha. Que, ele lembraria disso só quase uma hora depois quando voltou e os dois gemiam dolorosamente (*sic*) no quarto. Que, levou oito pontos no cotoco do dedo **mindinho**.

– Que, soube na Santa Casa pelo doutor Aoki, que estava lá porque que havia arrebentado a mão com um rojão, que o Uchôa havia perdido e o seu irmão, o Espanador, havia perdido um pênalti no último minuto do jogo, o que daria o título ao Uchôa. Que, ele chorou, emotivo que é.

– Que, o ódio foi subindo à sua cabeça, subindo como nunca havia subido até então. Mas que ele iria acabar a porta mesmo com o **mindinho** naquele estado e ainda sangrando. Faltavam os detalhes, os adornos, os floreios da porta daquele coronel filho da puta (palavras do depoente que depois pediu desculpas ao delegado). Que, o Uchôa perdeu – por causa do irmão dele – e aquele filho da mãe lá em cima da sua mulher que, agora, gritava de prazer. Que, sabia que o Tristão tinha um membro avantajado.

– Que, naquele momento, para aliviar, só pensava nos grandes jogos do Uchôa naquele ano. Quatro a zero no Rio Claro, três a um no América de Rio Preto, oito a zero no XV de Jaú. Que, tudo sob a batuta do doutor Paulo Birolli, que, além de técnico era advogado do clube e irmão do presidente, o doutor João Birolli, para quem havia feito uma cama de casal inesquecível. Que, era uma pena, aquilo. Que, aquilo doía no coração dele. Muito mais do que o **mindinho** e o agora silêncio lá no quarto. Que, vez ou outra, numa lufada mais braba, dava para ouvir o mencionado Tristão. Roncando.

– Que, a casa dele só tinha porta de entrada ali atrás, pelos fundos. Que, era uma casa humilde e eles haviam transformado a sala de entrada em mais um quarto e por isso que lá não tinha mais porta.

– Que, eram mais ou menos quatro horas da manhã quando ele terminou de parafusar o trinco. Que, a porta havia ficado perfeita. Que, ele ficou admirando a sua obra toda manchada de sangue. Que, quando resolveu colocar vários trincos na porta, foi que sentiu o que iria fazer dali a minutos.

– Que, ele pegou um pano e limpou todo o sangue que estava na porta. Que, só aí, então, passou o óleo de peroba. Que, tirou a porta da prancha e colocou em pé, encostada na parede. Era uma porta bonita, talvez a melhor que já tinha feito em toda a sua vida de carpinteiro. Que, ele já podia se considerar um marceneiro, tal a perfeição do trabalho, dos entalhes. Que, ficou ali olhando para a porta durante uns dez minutos, enquanto fazia o seu plano. Que, havia perdido a cabeça. Que, não sabia mais o que estava fazendo. Que, estava com sistema nervoso.

– Que, foi até a entrada da sua casa e desparafusou a porta antiga e levou a nova, e a encostou na parede, em pé. Que, ainda falou: puta porta!

– Que, os dois dormiam na cama dele e da Maria Lucia, dita Lu, o sono dos injustos (*sic*). Que, o Tristão roncava como um porco, o que aumentou ainda mais o seu ódio e alimentou seu plano.

– Que, ligou a serra elétrica na tomada da sala. Que, viu que o fio chegava até o quarto. Que, foi num golpe só que ele cortou o pescoço dos dois com a serra elétrica. Que, o Tristão parou de roncar. Que, espirrou muito sangue nele. Que, foi muito sangue. Até no teto.

– Que, depois de tomar banho e lavar toda a sua roupa, tirou as alianças das duas vítimas e guardou no bolso. Que foi lá fora e pegou a sua obra-prima e colocou no lugar da porta velha, na sua própria casa, encerrando os amantes lá dentro. Que trancou quatro vezes a porta. Que olhou mais uma vez e ainda pensou "que puta porta".

– Que, foi para a rodoviária e pegou um ônibus e foi para Mirassol, onde foi capturado pelo delegado local na data de ontem, 14 de dezembro de 1949. Que, lá havia ficado até quando os vizinhos avisaram a polícia do mau cheiro da casa da dona Maria Lucia, dita e morta Lu. Que, soube que a polícia arrebentou a porta com machadadas.

– Que, para finalizar, fez questão de dizer que o **mindinho** já cicatrizou. Mas, chorando, resmungou (o que o doutor delegado me pediu juntar aos autos):

– Puta porta! Machadadas...

Nada mais. Lido e achado conforme, vai devidamente assinado por todos.

Autoridade – Doutor Fábio Sammarco (ass.)

Declarante – Luis Estevão Carneiro Fernandes (ass.)

Escrivão – Julio Caio de Carvalho (ass.)

Quando o meu pai morreu, escrevi esse texto. É como eu me lembro dele, até hoje. Ele não tinha o menor complexo pelo fato de não ter o dedinho. Era médico e fazia operações com os nove dedos, numa boa.

A Glorinha está na zona daqui. Virou puta para sofrer mais do que eu. Pode, sair de casa e ir pra zona?

Mulher na zona é foda! Tudo bem que é na casa da Eny, mas mesmo assim... Eu digo que ela é doida, ninguém me ouve. Com a morte do papai, ela está voltando para mim.

O caçador de xibiu

O que mais me impressionou foi como aquela rede ficou grande. Aberta, devia ter uns dez metros por trinta. Dobrada, como eu costumava ver, era um pacote bem pequeno. Era uma rede de caçar passarinhos. Tinha chegado pelo correio, importada, cara. Me lembro da alegria do meu pai a nos mostrar a rede. Era preta. Os bicudos que se cuidassem.

Ave passeriforme fringilídea (Oryzoborus crassirostris), *largamente distribuída no país. O macho é preto, com um espelho branco na asa; a fêmea, parda, com a parte inferior pardo-avermelhada e o pescoço mais claro. Alimenta-se de sementes de capim, e é muito apreciada como ave de gaiola.*

Resumindo, o bicudo é um passarinho. Nem bonito e nem com canto tão agradável. Mas o meu pai ia até o fim do mundo caçar bicudos. Daí, para as reuniões com outros bicudeiros de todo o país, para concurso e campeonatos de cantos, era um tiro.

Ele esticava a rede entre as árvores, lá no Mato Grosso. Ele, o passarinheiro (contratado no local, sabedor dos ninhos e caminhos) e eu. Psiu!, me dizia. E, agachado atrás dos arbustos, começava a assoviar imitando um bicudo.

Além de médico, rotariano e meu pai, era um caçador de bicudos. O resto não importava. Os bicudos!!! A falta do **mindinho** da mão direita nunca lhe fez falta.

Meu pai levava, nas caçadas, o que hoje eu chamaria de *flat* de passarinho. Era uma gaiola vertical, com vários apartamentozinhos. Um para cada bicudo caçado. Na rede, depois de meia hora estavam vários pássaros que não a enxergavam (aí é que estava o segredo) e se entrelaçavam por ali. Era quase invisível. Meu pai ia lá com o passarinheiro, tirava os que não eram bicudos e soltava. Tinha vez que não encontravam nenhum bicudo. Mas ele ficava ali até o sol se pôr porque, segundo ele, era a melhor hora para se caçar. Recuávamos e ele voltava a assoviar atrás da moita. Ele levava a coisa a sério. Passava, às vezes, uma semana na função para trazer um, dois bicudos.

Na nossa casa tinha uns 15 engaiolados. Me lembro do nome de alguns: Melodia, Porém, Todavia, Contudo, Aluízio, Xibiu, Desemboque e Nogórdio. O Nogórdio, um dia, eu perguntei a ele o que era, porque os outros nomes eram até poéticos, senão gramaticais. E ele me mandou olhar no pai-dos-burros, o dicionário. E, até hoje, eu não havia procurado. Mas, escrevendo essas memórias do velho e bom Bertin, fui cabisbaixo e ignorante ao pai-dos-burros. E lá, está explicado:

Nó górdio: segundo a lenda, nó que prendia ao timão o jugo da carreta do rei Górdios, depositada no templo de Zeus, em Górdios, capital da Frígia, sobre o qual existia a profecia de quem o desatasse tomaria para si a Ásia; pela tradição, o conquistador Alexandre da Macedônia cortou tal nó com sua espada e invadiu a Ásia. (Houaiss, Editora Objetiva.)

No começo (desde que me entendia por gente) meu pai tinha de tudo quanto era passarinho. Canário, canário-da-terra, periquito australiano (os que eu mais gostava) e até uma pentelha de uma araponga. Com o tempo foi canalizando tudo para os bicudos. Agora ele só tinha bicudos. Uns pretos, outros marrons. E ele se gabava – em casa e nos campeonatos de bicudos e curiós – de ser um dos três criadores do Brasil a conseguir fazer com que eles se procriassem no cativeiro. A palavra cativeiro era ele mesmo quem usava.

Meu pai era um homem generoso, bom e honestíssimo. Desde pequeno eu não entendia por que ele prendia dentro de pequenas gaiolas aqueles bichinhos que viviam felizes lá no Mato Grosso. No fundo, achava aquilo uma pequena maldade. Tinha vontade de soltar todos. Uma vez ameacei, adolescentemente, e ele me disse: "Se soltar, eles morrem. Não sabem mais viver em liberdade."

O problema chato, para mim, era tratar dos bicudos. Sim, quando eu ficava de castigo – e isso era quase todo dia –, uma das condenações era tratar dos passarinhos. E não era uma tarefa fácil. Houve épocas que eram mais de 20. Por isso mesmo que era um castigo. Primeiro, tinha que tirar a parte de baixo da gaiola, com um jornal dobrado em cima de uma madeira que deslizava para fora. Ali ficava a casca do alpiste comido e os ressecados cocôs. Tinha que lavar a madeirinha ("muito bem lavado!"), recortar um jornal (*A Gazeta Esportiva*) e recolocar lá dentro. Agora trocar a água. Tinha cocô ali, também. Agora pegava a caixinha onde ficava o alpiste e tinha que assoprar. Horas assoprando até não ter mais nenhuma palhinha sem a semente, que era o que interessava. E complementar a alimentação do bicudo. E tudo isso enfiando a mão dentro da gaiola – pelo menos seis vezes –, ficando sujeito a eventuais bicadas. E, depois disso tudo, varrer o chão da varanda.

A partir de 2000, ele começou a fazer hemodiálise, já bem velho. Mas, morando sozinho com a minha mãe, ainda cuidava dos últimos 12 bicudos, a quem chamava pelo nome, com quem conversava. Conhecia – é claro – o canto de cada um deles. Tinha seus troféus.

Mas foi aí que o fato se deu. O médico disse que ele poderia pegar uma infecção por causa dos bicudos e seria fatal. Ele tinha que se desfazer daquilo, daquele pedaço da sua vida. Ainda tentou contratar um tratador de bicudos. Mas o médico insistiu. Não pode mais ter bicudo aqui!

Vendeu os bicudos por oito mil reais. Eu sabia que aquele dinheiro era para sustentar os últimos meses de vida dele. Sem os bicudos a sua vida não teria mais sentido.

Ficava sentado na varanda dos fundos, fazendo palavras cruzadas e olhando para uma parede branca com 12 solitários pregos. Xibiu, Porém, Todavia, Desemboque, Aluízio, ia dizendo.

E ia morrendo. Morrendo feito um passarinho.

Sabe qual era o apelido (meu para ela, coisa de casal) da Glorinha? Jabiraca. Se o meu apelido é **Mindinho**, tem **mindinhos** por aí de nascença, com nome oficial. Fiquei todo orgulhoso. Não devia falar assim da Glorinha. Olha o que eu achei por aí.

Nomes diferentes (apenas a letra M)

Magnésia Bisurada do Patrocínio,
Manganês Manganésfero Nacional,
Manolo Porras y Porras,
Manoel de Hora Pontual,
Manoel Sovaco de Gambar,
Manuel Sola de Sá Pato,
Manuelina Terebentina Capitulina de Jesus Amor Divino,
Marciano Verdinho das Antenas Longas,
Maria Cristina do Pinto Magro,
Maria da Cruz Rachadinho,
Maria da Segunda Distração,

Maria de Seu Pereira,
Maria Felicidade,
Maria **Mindinho** Polegar de Souza
Maria Panela,
Maria Passa Cantando,
Maria Privada de Jesus,
Maria Tributina Prostituta Cataerva,
Maria-você-me-mata,
Mijardina Pinto,
Mindinho Auricular Máximo
Ministério Salgado.

Sabe o que a Glorinha inventou? Agora ela vê novela o dia inteiro. Umas seis. E fica procurando defeitos físicos nos personagens para imitar. Eu não estou mais agüentando essa mulher. Só para sacanear eu disse que ia escrever uma novela, onde entrasse o dedo **mindinho**. Ela duvidou.

Pois um belo dia eu mandei uma carta para a Globo, pedindo uma sinopse de novela porque eu tinha lido uma idéia (do Ziraldo) que eu achava muito boa. Baseado no jeitão da sinopse que eles me mandaram, fiz uma, com personagens, cenários e tudo. Claro que é sobre o dedo. Mandei e eles nunca me responderam, você acredita? Vê se é boa. E o Reinaldo Moraes e o Dagomir Marquesi escreveram comigo este trabalho.

A Glorinha disse que eu sou um gênio. Naquele momento, concordei porque ela estava com enxaqueca. Mas fiquei com dó e curei com barbantinho queimado.

As águas vão rolar

"Não tem saída. A cidade do interior é o universo inconsútil da grande realidade cultural brasileira. Não tem como fugir dela. Ali está o mundo. É só fazer uma pesquisa: os grandes sucessos passam por todas as Asas Brancas da novela brasileira. Feito este preâmbulo óbvio, vamos à luta.

São duas cidades. Que se odeiam.

Veja: se uma cidade só faz o maior sucesso, imagine duas!"

Ziraldo

■

São João do Rio Bonito – ou simplesmente **Rio Bonito** – e São João das Pedras – ou simplesmente **Das Pedras** – são duas cidadezinhas do interior separadas por um rio e por uma rivalidade antiga. Se odeiam.

Rio Bonito é bem mais antiga, tradicionalista. Das Pedras, mais nova, partiu com tudo para a modernidade. Ambas têm orgulho furioso de suas respectivas características.

A história começa quando o jovem prefeito de Das Pedras (Marco Antonio) e o velho prefeito de Rio Bonito (Lauriston) viajam no mesmo dia para Brasília, convocados para uma reunião no Ministério do Interior. Que diabo seria?

Em Brasília, um funcionário explica aos prefeitos que uma das margens do rio Jurerê – que separa as duas cidades – deverá desaparecer dentro de um ano, em função de uma inundação causada pela construção de uma nova hidroelétrica, rio acima.

A conseqüência é óbvia: uma das cidades vai desaparecer do mapa, literalmente.

Para os técnicos do Ministério é indiferente saber qual das cidades será sacrificada, dadas as características geográficas da região. Cabe aos dois prefeitos e respectivas populações decidirem isso. O funcionário, que aparentemente nada sabe sobre as desavenças históricas entre as duas cidades, procura tranqüilizá-los:

– Sei que vocês são todos mais ou menos aparentados e amigos e que vão chegar logo a um acordo. É claro que vamos pagar pelas terras desapropriadas, além de oferecer aos habitantes da cidade inundada as condições para construírem suas novas casas na outra cidade. É só uma questão de mudar de endereço.

O bate-boca estoura ali mesmo. O funcionário:

– Olha, se em um ano vocês não chegarem a um acordo, vamos ter que apelar para o bom senso. Inundaremos a cidade que tiver menos habitantes. Acho mais lógico e menos dispendioso para todos vocês.

Está dada a largada!

■

Rio Bonito:

Muito verde, cheia de poetas, pintores renascentistas, músicos, seresteiros, namorados. Muito alto astral, cheia de vegetarianos, um certo ar de Gabeira e goiabeira pairando sobre a cidade. Homeopatia, é claro.

Os mendigos são do tipo *clochard*: alegres e amados pela cidade. Não tem sauna, nem motel. Tem o velho Café Voltaire, ponto de encontro dos homens durante a tarde, cabaré de noite e cassino de truco aos sábados e domingos.

Tem vendinhas antigas, com traquitanas nas portas, tem teatro (Teatro Qorpo Santo) e até um museu onde a peça mais rara é uma cadeira onde D. Pedro II se sentou – por alguns minutos, consta – pouco antes do exílio. Carros antigos, ruas sem calçamento, péde-moleque. O que há de mais atual na cidade são uns *hippies*. Mais para Ouro Preto. Tem o Liceu Marcel Proust, única escola do Brasil onde ainda existe o curso Clássico e o ensino do Latim. Tem ufólogo, tem astrólogo. Tem coreto na Praça da Matriz e uma igreja pseudobarroca. Cidade agrícola, café, tomate.

A população não acredita que as águas vão rolar por cima de tanta tradição.

Das Pedras:

É o contrário. Tem bancos, H. Stern, supermercado. Se desenvolveu com o rápido dinheiro das pedras preciosas e dos minérios (já se esgotando, dizem).

Tem granjas racionalizadas. Tem atletas, cinema, danceteria pós-moderna, maternidade e sauna com massagem *for men*. É inteirinha asfaltada. Tá mais para Brasília.

O prefeito está construindo um enorme edifício de quatro andares! Com elevador! Todos os carros são modernos. A igreja é de concreto armado. Há um chafariz eletrônico controlado por computador que mais parece um disco voador.

As ruas não têm nome: são sigladas, como na capital federal. Quem pode se veste na última moda. Alguns *yuppies* interioranos. Na prefeitura tem uma maquete de Das Pedras do futuro, que o jovem prefeito da cidade planeja construir.

A população não acredita que as águas vão rolar por cima de tanta modernidade.

■

Há uma e apenas uma ponte no rio Jurerê ligando as duas cidades. É a ponte São João. Paga-se pedágio para atravessar para lá e para cá. Quem toma conta da fronteira é o Osni (Objeto Sexual Não-Identificado). Esse sujeito será muito importante quando o pau começar a comer pra valer.

■

O que aconteceu há 20 anos:

Carnaval de 67.

Baile de carnaval nas duas cidades: Rio Bonito e Das Pedras.

Terça-feira gorda. Estranhos ruídos no céu. Luzes estranhas. Blecaute total nas duas cidades. As duas ficam na maior escuridão. Nem vela, nem fósforos acendem. Dizem que os pedrenses defloraram as meninas de Rio Bonito. E o vice-versa também se deu. Horas de escuridão. Um mês e pouco depois, a revelação: várias bacantes que estavam naquela "terrível noite" estão grávidas.

Duas apenas e especialmente nos interessam.

Em Rio Bonito, Stella Maris, então com 20 anos.

E, em Das Pedras, Angélica (mas a história da gravidez da Angélica a gente toca depois. Aqui, o que interessa é Stella Maris).

Dado importante: nenhuma das duas engravidou dos respectivos namorados.

Stella Maris, por exemplo, pouco se lembra. Foi tudo muito rápido e estranho. E nunca comentou com ninguém. Se lembra que havia um homem lindo, embora o tivesse visto na escuridão; sedutor, ainda que pouco falasse; e irresistível, pois que ela não resistiu. Cedeu. Deu.

Noite de lua nova, só estrelas no céu. O estranho a agarrou pela mão no salão escuro do baile de carnaval e a arrastou para os jardins do clube e, dali, depois dos primeiros beijos, para o monjolo do fundo do pasto. Não sabe, nunca soube, que força estranha trouxe-lhe o abandono da vontade e do corpo. Sabe apenas que se deixou levar. Foi. Deixou Donda (seu namorado e hoje o maior latifundiário de Rio Bonito) plantado na escuridão.

Depois, desmaiou. Acordou no clube, com cheiro de vinagre no nariz. As luzes haviam voltado.

Donda: "Você sumiu na escuridão. Pra onde?"

Ela jurou que não se lembrava. Donda não acreditou. Pensou que, na certa, ela tinha dado uma volta com Lauriston (seu futuro marido). Ela dizia que não, ele que sim. Romperam. Um mês depois, Stella rendeu-se às evidências. Estava grávida.

De quem?

Casou-se logo com Lauriston e alegou que Bibiana nasceu de sete meses.

Aliás, várias crianças nasceram de sete meses nas duas cidades, naquela época.

Mas, afinal, quem era o pai da criança? Quem foi aquele homem estranho que encantou e fecundou Stella?

Foi Noel. E quem é Noel?

■

Noel foi o irresistível príncipe da escuridão.

Noel veio de Atarp, um planeta, de um outro sol, cujas condições de vida são praticamente iguais às da Terra.

Naquela noite, pela primeira vez, Noel desceu na região, com seu disco voador, causando o blecaute. Desceu atraído pela música de carnaval. Atarp está milhares de anos à frente da Terra, em termos de tudo.

Mas existe um negócio que Atarp não tem: música.

E foi a música que atraiu Noel.

Pelas leis do seu distante planeta, Noel não poderia ter feito o que fez: sexo. O máximo permitido era que viessem de vez em quando para auscultação sonora. Mas Noel era um rebelde. Tinha 20 anos. E, naquela noite, ele sentiu que havia engravidado a mais bela mascarada do baile. E se mandou.

■

Vinte anos mais tarde (hoje), ele conseguiu convencer as autoridades de Atarp a deixá-lo voltar à Terra para resgatar seu filho – ou filha.

Sabe-se que os habitantes de Atarp não conseguem viver mais de um ano na atmosfera degradada da Terra. Perecem. Os sábios de Atarp calcularam que o filho – ou filha – de Noel pode sobreviver – por ser metade terráqueo – 20 anos, no máximo, à vida na Terra. Depois definharia em um ano, a começar pelo dedo **mindinho**, até morrer.

Detalhe importante: apesar de agora já estar com 40 anos, Noel aparenta pouco mais de 20, devido às condições de vida em seu planeta.

Concluindo: ao começar a nossa história, está chegando Noel, com duas missões:

Primeira: descobrir quem é seu filho (ou filha) e levá-lo de volta para Atarp.

Segunda missão: levar para o seu planeta o segredo da música, já que os atarpianos não conseguem fazer música, fenômeno que os deslumbra.

E Noel chega.

■

O que está acontecendo com Bibiana, quando ele chega:

Bibiana, a mais bela filha da prefeita de Rio Bonito (Stella Maris), está para morrer, vítima de um estranho mal.

Bibiana é exímia pianista, prenda disputadíssima nas saletas de visita de Rio Bonito e arredores – menos em Das Pedras, é claro.

Lá, só o jovem prefeito Marco Antonio gosta dela.

Mais do que isto: é apaixonadíssimo por ela. Olha aí o nosso Romeu e Julieta. Interesse político, diz a sua mãe.

E Bibiana, vai morrer?

O estranho mal de Bibiana é mesmo das coisas mais esquisitas.

Os primeiros sintomas apareceram quando a moça completou vinte anos, recentemente. Apesar de ser a mais velha das três irmãs, aparenta ser a mais moça. Perda temporária da visão: praticamente todos os dias a moça fica cega por alguns minutos. Diz que tem visões internas fantásticas, que não consegue descrever. E uma estranha mancha azul-turquesa aparece no seu dedo **mindinho**. Em alguns segundos – inesperadamente – a mancha se ilumina e brilha, atingindo toda a sua mão. Muito estranho. Mas isso não seria nada se o coração da linda Bibiana não estivesse fraquejando progressivamente. E seu pulmão encolhendo. E seu sangue se espessando. Os médicos não conseguiram descobrir a natureza do seu mal. Mas decretaram: nesse ritmo de evolução dos sintomas, em um ano, no máximo, Bibiana estará morta.

Só uma pessoa em Rio Bonito e Das Pedras saberia diagnosticar o estranho mal da moça: Noel, é claro. Seu pai. Para todos, Noel é apenas o mais recente e bizarro morador da cidade. Ele diz que é pós-graduado em Geologia e realiza pesquisas na região. De fato, ele anda para cima e para baixo com estranhos aparelhos. Mas, na verdade, são aparelhos para estudar, pesquisar a música, o som, os acordes. Ele se interessa tanto pela maravilhosa música de Rio Bonito (mais clássica, mais popular) como pela música de Das Pedras (mais *rock*, mais *funk*).

O fato é que se ele soubesse do estranho mal de Bibiana, saberia diagnosticá-lo. Mas, depois que se conhecem, ela esconde a mancha azul do **mindinho** quando está com ele. E começa a gostar dele. Ele aparenta ser só um pouco mais velho do que ela.

■

O que está acontecendo com Marco Antonio, quando ele chega:

Marco Antonio é tão jovem quanto sua jovem cidade: tem 24 anos.

Prefeito eleito com apenas 21 anos, simboliza a juventude de sua cidade. Para chegar até a prefeitura, derrotou, nas últimas eleições, Zeca Bregatto, o latifundiário local, que hoje lhe faz cerrada oposição. Mas é uma situação que vai mudar assim que o problema da inundação surgir. Afinal, Zeca Bregatto é pai de Graça, uma das possibilidades amorosas de Marco Antonio.

Marco conhece Bibiana logo no primeiro capítulo, ao ir à casa de Lauriston e Stella Maris para falar sobre o problema da inundação. Há muitos anos que ele não via Bibiana. E se encanta. Mas os pais são taxativamente contra esta relação. Romeu e Julieta, mesmo!

Marco é uma espécie nossa de Cidadão Kane. Ambicioso, progressista. Seu namoro com Bibiana será intenso, sujeito a chuvas e trovoadas, mas indestrutível. Apesar de vários problemas paralelos que Marco Antonio tem, que falaremos mais adiante.

Marco, que ainda não sabe que Noel é pai de Bibiana, se péla de ciúmes dele. E o vice-versa também acontece. Só que o ciúme de Noel é um ciúme típico de pai.

As relações entre Marco e Bibiana vão indo até bem, quando surge na história o irmão mais velho de Marco, o Edgard, famoso estelionatário que vivia na capital e volta. Edgard chantageia Marco Antonio: sempre se refere a um caso que aconteceu no passado e que ele (Edgard) pode tornar público e complicar a carreira política e sentimental de Marco.

O tal fato é o seguinte: há quatro anos, pouco antes da eleição, Marco teve um caso rápido com uma balconista das Casas Pernambucanas e ela engravidou. Teve a criança. Portanto, Marco tem uma filhinha com Dolores, que ele sustenta numa casa fora da cidade. Tem muita ternura pelas duas (mãe e filha), mas é um negócio que ele não assume publicamente por seus problemas políticos e, agora, sentimentais. Apenas Edgard sabe desta transa. Dolores é mesmo apaixonada por ele. Digamos que o negócio dele por ela seja mais na base do tesão. Mas é sempre uma ameaça esta situação.

Marco vive, portanto, entre três mulheres: Bibiana, Graça e Dolores. E sua filhinha Cleo.

Marco mora com uma tia (Tia Marlene), verdadeira mãe para ele, desde que a sua foi assassinada pelo seu próprio pai, que vive agora numa colônia penal em Taubaté. Mas o pai jura inocência e quer que Marco, agora prefeito, consiga reabrir o processo. Na verdade, cá entre nós, o pai de Marco está preso injustamente. Aldrabices do Edgard? Ou da cidade rival?

■

A partir da volta dos dois prefeitos, de Brasília, no primeiro capítulo, uma verdadeira guerra irá se desencadear entre as duas cidades, além das tradicionais rixas e picuinhas que já animavam o relacionamento entre ambas. Mais na frente há uma lista desses antagonismos. Interessa agora fixar não ainda os protagonistas principais da nossa história, mas, num plano mais geral, as três principais frentes de combate dessa guerra:

A) Das Pedras tem uns 30 habitantes a mais que Rio Bonito. Não seja por isso, dizem os bonitanos. Todos de Rio Bonito são convocados – melhor, intimados oficialmente – a aumentar a população da cidade. A prefeitura cria prêmios de incentivo à natalidade e sanções contra casais sem filhos e solteiros com mais de 18 anos. As mães solteiras são perdoadas. E os garanhões exaltados. O padre esbraveja do púlpito: crescei e multiplicai-vos.

É óbvio que o mesmo acontece do lado de Das Pedras que, por ser modernólatra, apela até para a inseminação artificial. O farmacêutico inicia experiências genéticas. Por aí afora. Uma verdadeira batalha de fertilidade tem início. Nunca se transou tanto nas duas cidades. Nunca a moral cristã se debateu por tanta ambigüidade. Essa batalha de fertilidade dará margem a vários lances rocambolescos: rapto de grávidas de uma cidade para terem seus filhos registrados na outra; rapto de virgens; rapto dos garanhões; das parteiras etc. (tudo narrado com a leveza que a novela exige, evidentemente).

E é justamente nesta frente de batalha que irá se esboçar a conclusão da história. Isto porque as mulheres de Rio Bonito e Das Pedras, capitaneadas pelas mais feministas e combativas de um lado e do outro, começam a perceber que estão sendo usadas de bucha de canhão numa guerra essencialmente masculina. E vão se unindo, se rebelando. Como em Lisístrata. Expõem suas reivindicações aos maridos, namorados e amantes. Usam a negativa sexual como arma de combate. Um belo dia, abandonam seus lares e vão se encastelar no chalé-hotel Nova Suíça, no alto do Morro da Vergonha, eqüidistante das duas cidades, até então uma espécie de campo neutro entre as duas facções.

Com o tempo, quase todas as mulheres estão morando lá no alto do Morro, ou acampadas em volta. Sofrerão o assédio dos homens. Algumas, claro, vão ceder, na moita. Mas temos aí muito pano para manga. São várias as possibilidades de resolução deste grande conflito. Lisístrata.

B) A outra frente de combate se refere às características de tradicionalismo e arcaísmo de um lado e modernidade e avanço tecnológico do outro, que marcam as duas cidades. Os prefeitos pensam assim:

O prefeito de Rio Bonito:

Se a nossa cidade se lançar nacionalmente como reservatório natural de tradições históricas, com seus prédios antigos, o Liceu, o Café Voltaire, a Igreja e tudo o mais que tenha alguma importância cultural, é claro que o governo não vai inundar a gente. O jeito é fazer com que Rio Bonito se torne cada vez mais antiga para atrair as atenções nacionais. Os carros, as roupas, os costumes, o estilo de vida: tudo arcaico. Old is beautiful.

O prefeito de Das Pedras:

Se, ao contrário da nossa rival, a gente for fundo na nossa vocação para a modernidade, estamos salvos. Precisamos computadorizar a cidade. Dotá-la de todas as tecnologias, de orelhão de acrílico com ar condicionado, pra cima. Quem puder que se vista e se comporte como os nova-iorquinos. Ou, pelo menos, como os cariocas da Zona Sul. Muita arquitetura de concreto aparente, pra Niemeyer nenhum botar defeito. Só carros novos nas ruas. Inventos. Engenhocas. Progresso a dar com pau. Assim eles não terão coragem de inundar a gente. As ruas não têm nome: são sigladas, como na capital federal. Quem pode, se veste na última moda.

C) A terceira frente de combate é mais complexa, porque é interna a cada uma das cidades. Nas duas cidades, há um e apenas um grande latifundiário. Um de Rio Bonito e um de Das Pedras. São duas velhas fazendas mais ou menos improdutivas que servem apenas para assegurar a cada fazendeiro uma posição de força e prestígio na vida de sua cidade.

Os dois fazendeiros percebem logo que a indenização do governo pelas terras inundadas será cinco ou dez vezes mais alta que o valor de mercado delas.

Pensa o fazendeiro de Rio Bonito:

– Se Rio Bonito for inundada, fico rico, resolvo os meus problemas. Vou poder levantar as hipotecas e resgatar as antigas glórias da família.

O mesmo vai pensar o fazendeiro de Das Pedras.

Ou seja, os latifundiários querem que as suas próprias cidades sejam inundadas.

Conclusão: começam a conspirar contra os interesses da população de suas respectivas cidades.

Já está na hora de definirmos quem são os protagonistas e os seus antagonistas nessa guerra toda.

Vamos rememorar um pouco:

Em Das Pedras, temos o jovem prefeito e toda a população contra a inundação. Mas temos o antagonista latifundiário Zeca Bregatto, a favor.

Em Rio Bonito, tem a firme prefeita e toda a população contra a inundação. Mas temos o antagonista Donda Soares, o latifundiário, que é a favor.

E mais: o latifundiário de Das Pedras pode e deve se unir à prefeita de Rio Bonito, já que têm os mesmos interesses. E o latifundiário de Rio Bonito se unir com o jovem prefeito de Das Pedras.

Assim que Marco Antonio (o jovem prefeito de Das Pedras) e Lauriston (o prefeito de Rio Bonito e marido de Stella Maris) voltam de Brasília, a guerra está desencadeada. Lauriston começa por proibir a presença de Marco Antonio em sua cidade e que ele se afaste definitivamente de Bibiana, sua filha, com quem o jovem prefeito mantém já um promissor caso de amor que, justamente agora, estava começando a alavancar.

Entra então em ação o maior latifundiário de Rio Bonito, Donda Soares (ex-namorado de Stella e arquiinimigo de Lauriston).

Donda consegue, depois de várias tentativas, chegar até Lauriston, até mesmo se esquecendo do que aconteceu naquela fatídica noite. Donda tem interesse em que Rio Bonito seja inundada. Oferece então a Lauriston 100 mil dólares para que ele entregue a sua cidade ao Ministério do Interior. Já está praticamente tudo acertado quando Lauriston morre de mal súbito. Será?

Sua esposa Stella Maris assume a prefeitura e briga com Donda: "Só se as águas rolarem sobre o meu cadáver!"

Donda, que sempre foi apaixonado por ela, o que faz? Resolve esquecer aquela terrível noite e tentar, de todas as maneiras, conquistar Stella. Afinal, agora os dois são viúvos. A quarentona ainda gostosa titubeia, mas não cai na jogada dele. Não fossem as intenções perversas do fazendeiro, ela talvez topasse um "play it again" com Donda.

Donda vai então para o Rio e incumbe uma prima sua da sociedade carioca de arrumar para ele – e mandar para Rio Bonito – o homem mais charmoso, mais irresistível do Rio para uma conquista.

Alguns dias depois, chega na rodoviária de Rio Bonito o homem mais charmoso, mais irresistível do Rio de Janeiro: Tito Vieira.

Só que está completamente fora de forma, gordo, barbudo, bêbado. Mas vai logo dizendo: eu, bom, sou foda! Donda e sua turma têm, então, que recuperar Tito Vieira. O plano é o seguinte: Tito tem que deixar Stella completamente apaixonada por ele, Tito. Mas quando Stella não estiver mais resistindo, Donda dirá para ela que aquele indivíduo é um mau-caráter, bandido famoso no Rio de Janeiro e que está dando um golpe em cima dela, da prefeitura e da cidade. E provará tudo. Ou seja, Donda surgirá como herói e Stella se renderá aos seus braços. Pelo menos, é o que ele pensa. Acontece que, pouco a pouco, Tito e Stella vão mesmo se envolvendo. Tito é mesmo irresistível. Até mesmo uma das filhas de Stella se apaixona por ele.

Vamos atravessar o rio e ver o que aconteceu na outra cidade, desde que os dois prefeitos voltaram de Brasília, no começo da história.

Marco Antonio realmente ama Bibiana. São ligados pela música. Bibiana é pianista. Marco Antonio curte o som de Rio Bonito. São as duas particularidades que o ligam à cidade inimiga: a música e o coração. Depois da taxativa proibição do encontro entre os dois, Marco Antonio começa a freqüentar a cidade de Rio Bonito, disfarçado de *hippie*, seu antípoda. Assim como em Das Pedras ele é um pouco *yuppie*, se apresenta em Rio Bonito como um jovem *hippie* e músico. Tudo isso para ter acesso à sua Julieta-Bibiana. Mas a relação entre os dois vai ficando cada vez mais difícil e insustentável. Principalmente quando entra em cena Zeca

Bregatto, o latifundiário local, que é contra os interesses de Marco Antonio e contra os interesses de toda a população da cidade. Ele quer que a cidade seja inundada, pois parte substanciosa de suas terras que não forem alagadas serão muito valorizadas. Mais ou menos o que o Donda pensa do lado de lá.

Zeca tem, portanto, que ganhar a simpatia de Marco Antonio. E eis que vai entrar em cena Graça, a moça mais linda de Das Pedras. Graça é filha de Zeca com sua mulher Angélica.

O que acontece é que tanto Zeca como Graça são pessoas dotadas de muito pouco caráter, pra dizer o mínimo. Só pensam em dinheiro, em poder, em grandeza. Mas são charmosos, sedutores, como bons canalhas.

Zeca praticamente joga Graça nos braços de Marco Antonio para conseguir que ele ceda, que as águas inundem Das Pedras e ele, Zeca, ganhe muito dinheiro, talvez até mesmo o suficiente para comprar as terras do outro lado, do seu concorrente Donda Soares. Num dado momento da história, Marco Antonio e Bibiana se rebelam contra os costumes de suas cidades. Tá todo mundo moderníssimo em Das Pedras e Marco Antonio (para espanto geral) resolve ficar vestido normal, com roupas de hoje. O mesmo acontece com Bibiana, em Rio Bonito. Tá todo mundo muito antigo e ela fica normal, com roupas de hoje. Isto pode chocar muito as duas cidades. A rebeldia de Romeu e Julieta, sob e sobre uma música esplendorosa.

■

O final feliz:

É claro que, pouco a pouco, Noel vai descobrir que Bibiana é a sua filha. Mas ela, não. Nem Stella. E Noel terá meios paliativos de mantê-la viva. Mas cada vez mais, por pouco, muito pouco mesmo tempo. E também, é claro que tanto Stella Maris como Bibiana vão se apaixonar por ele.

O trabalho que Noel faz para chegar até Bibiana é bastante lento. Enquanto isto, vai rolando o romance de Bibiana e Marco Antonio, e a briga pela velha rivalidade entre as duas cidades.

Noel começa por pesquisar as pessoas nascidas naquela época e descobre que todos se negam a falar naquela terrível noite: e que muitas crianças, nas duas cidades, nasceram de sete meses. Noel vai então conhecendo estes jovens das duas cidades e apresentando para o público como os nossos personagens jovens.

Os jovens são todos atores, músicos, poetas. Em ambas as cidades.

Noel começa a pesquisar estes jovens todos até chegar a Bibiana e Stella, que pensa: "Já vi esse cara, mas não sei onde. Tenho certeza."

Todo o segredo desta história só será revelado do meio da novela em diante. Jogaremos apenas com uma pequena suspeita, quando ele começa a medicar Bibiana. Mas o público ainda não sabe o que aconteceu naquela terrível noite e nem que ele está procurando a filha para salvá-la da podridão terrestre.

Mas a história está chegando ao fim. Bibiana já sabe que é filha de Noel com Stella. O rolo já está armado. Tudo está se ajeitando nas histórias paralelas. Mas Bibiana está morrendo. Marco Antonio está desesperado. Todos estão desesperados.

Noel, como última possibilidade, entra em contato com seus superiores em Atarp. Acha-se a solução: Bibiana precisa ser fecundada por um atarpiano. Mas como, se Noel é o pai dela?

Pra tudo se tem uma solução. Noel leva Marco Antonio no alto do Morro da Vergonha, que divide as duas cidades, e lá acontece uma cena maravilhosa, que eu tenho certeza que a Globo vai fazer um dos momentos mais bonitos do mundo.

Noel chega com Marco Antonio, em cima do morro. Surgem vários discos voadores, soltando várias cores e sons. Sim, Noel já havia conseguido ensinar um pouco de música para os atarpianos. Um espetáculo deslumbrante nos céus da velha montanha. É o contrário do dia do blecaute, 20 anos atrás. Os sons dos discos vão virando uma música deslumbrante.

O som e as cores invadem as duas cidades. Toda a rivalidade fica de fora. Assim como ficaram inimigas no dia do blecaute, agora todos cantam juntos com as luzes extraterrenas.

De repente, o silêncio. Da nave-mãe sai uma luz fortíssima, azul-turquesa como a mancha do dedo **mindinho** de Bibiana. Esta luz envolve Marco Antonio em pura plenitude e beleza. Ele fica todo iluminado, fosforescente. Uma festa. Os discos vão embora ao som de uma música de carnaval. Do Noel, se possível.

Marco Antonio, todo iluminado, vai até a UTI de Das Pedras (em Rio Bonito não tem disso, não).

Bibiana está dentro de um balão de oxigênio, nas últimas. Ele entra, todo iluminado, e a fecunda. Uma fecundada cheia de luzes, de sons de aparelhos médicos, de sons de discos voadores, mais luzes, tudo muito azul-turquesa. Como no beijo da bela adormecida, ela acorda. Ele se desilumina; a mancha azul some da sua mão. Agora ela terá um filho terráqueo, com os poderes de Atarp, e estará salva.

E agora, Noel? Ele tem que ir embora. Seu tempo está se esgotando. Sobe um dia para o alto da montanha, de noite, tira um aparelhinho do bolso, coloca-o em cima de uma pedra e informa que está pronto para voltar.

Neste momento chega Rachel, uma moça da capital que estava pesquisando som em Rio Bonito e se apaixonou por ele.

Diz:

– Não vá. Eu te amo.

Ele não é daqui, tem que partir. Ela sabe disso. É um amor impossível etc.

Ela dá um beijo nele e diz:

– Eu também sou atarpiana, Noel. Estava aqui com a missão de fiscalizar a sua missão.

Beijam-se e voltam juntos para Atarp.

■

E quanto à inundação? O governo desistiu, alegando outras prioridades...

Esta Bíbi Da Pieve eu conheci através de *chats* pela Internet. Tem 23 aninhos, é roqueira no Rio, apesar de ser gaúcha. Quando ela soube que eu não tinha o dedo, me mandou esta crônica sobre o **mindinho** e o contrabaixo, que é o instrumento que ela toca.

A Glorinha entrou na minha correspondência aqui (é, voltamos) e anda me enchendo o saco. Agora sou eu quem está pensando em quebrar uns dedinhos dela. Aí eu quero ver ela mexer aqui nos meus *e-mails*. Outra coisa: ela anda desconfiada que eu tenho o Fabrício. Acho que vai dar caca.

O **mindinho** no contrabaixo

Se existe algum lugar onde os dedos **mindinhos** integram classes sociais opostas, esse lugar é o contrabaixo.

Gostaria de refletir aqui, com seriedade, sobre a importância dos **mindinhos** do contrabaixista. Há muito o que se pensar sobre isso. O que me preocupa é perceber que esse assunto nunca vem à tona; as pessoas não querem ver, as autoridades não ligam, a mídia abafa o caso, e fica tudo por isso mesmo.

O **mindinho** direito. Não é que eu queira ser alarmista, mas, convenhamos, **mindinho** direito de baixista destro é o cúmulo do patrimônio improdutivo. Não faz nada! Os outros dedos trabalham duro, mas ele nem se abala. Cadê justiça? Tanta gente precisando coçar o ouvido, francamente.

Conheço baixista – e isso fica aqui entre nós – que empina o **mindinho** direito enquanto toca. Só um tolo não percebe que se trata de ultrajante gesto de ostentação. Alguém precisa pôr um freio nisso!

Já o **mindinho** esquerdo, pobrezinho, como sofre. O contrabaixo, todos sabem, tem cordas muito espessas. E o braço do instrumento é enorme. Haja fôlego e preparo físico para percorrer tudo aquilo, durante horas, no afã de não deixar cair a pulsação da canção.

Não, o **mindinho** esquerdo não é poupado. Ao contrário do direito – que nasceu virado pra lua –, ele tem de dar muito duro, se quiser sobreviver.

Como é que pode – eu questiono – dois primos gêmeos terem sido tão brutalmente separados nos seus destinos? Será que o **mindinho** direito teve mais sorte na vida, simplesmente? Será que o esquerdo está pagando por seus pecados? É justo que o baixista honesto compactue com essa desigualdade digital?

Há quem diga que o **mindinho** esquerdo é pobre, mas é feliz; que pode passar a vida indo e vindo por toda a extensão do braço do baixo. Enquanto isso, o direito estaria preso, condenado à vidinha medíocre de coadjuvante musical.

Mas, pra mim, estão é querendo manipular a opinião pública. Feliz, coisa nenhuma! Chega de conformismo! Quem é que sofre com a tendinite, depois do *show*, enquanto o abastado primo, fresco e belo, recebe os cumprimentos através de cordiais apertos de mão (direita)?

Mindinhos esquerdos clamam por justiça, em milhares de contrabaixos, por todo o mundo. Já é hora de acabarmos com a hipocrisia. Não há mais como negar as péssimas condições desses miseráveis pedaços de carne, esquecidos na longa escala da vida, judiados pelo tempo, sobrevivendo, como verdadeiros heróis da clave de fá.

Fica aqui registrada a minha preocupação com o caso dos **mindinhos** baixistas. Essa questão me tirou o sono. Já pensei em abandonar o instrumento. Que eu me sentiria melhor. Pensei até em virar o baixo para o outro lado, aprender tudo de novo; tocar como se fosse canhoto. Dar uma oportunidade ao **mindinho** esquecido, enfim.

Mas isso iria me dar um trabalho danado, de modo que prefiro ir tocando assim mesmo.

Como a preguiça é – e sempre será – diretamente proporcional à crise de consciência, volta e meia eu faço um discurso. Sei lá, toco um tambor.

Me separei da Glorinha. Descobri que ela é louca de pedra. Se eu fosse normal, dava para segurar. Com nove dedos, mas dava. Sabe o que ela fez? Quebrou o braço de propósito – não me pergunte como – para ficar (mais ou menos) como eu. É um amor suicida, você não acha? Vinte anos de casados e ainda com esse problema, meu? É doida.

Meu avô Nonô (de Antonio), filho do Fabrício, era preto retinto. Depois acabou se casando com uma austríaca chamada Bárbara. Daí os meus olhos verdes. Para nós, era o Vô Nonô, mas na fazenda lá em Minas era conhecido como Zé Preto.

Me lembro bem dele. Rabisquei algumas memórias sobre ele. Umas, que me contaram; outras, comigo mesmo.

Zé Preto

Nas curvas das Minas Gerais, sem o **mindinho**, ele dirigia o caminhão do seu patrão, o Coronel Vitor Hugo. Meu avô era alto, forte, raspava a cabeça luzidia. Era o Zé Preto.

A primeira história que eu sei dele, acho até que já devo ter te contado. Iam os dois para a capital. Zé Preto na direção e o Coronel ao seu lado. Chovia. Os vidros todos fechados. O Coronel abusando do seu autoritarismo soltou um silencioso peido (me desculpe, mas pum é muito infantil). Silencioso, mas portentoso em seu fedor. Aquilo chegou até a embaçar os vidros. Meu avô, firme no volante, fez-se de bobo. Como se não sentisse. Mas a coisa foi tão forte que o Coronel Vitor Hugo, uns dez minutos depois, resolveu tocar no assunto:

– Zé Preto, lá por aquela curva do Ribeirão Campestre você não sentiu um cheiro forte de enxofre?

Vô Nonô, sem desviar os olhos da lamacenta estrada, concordou:

– É, coronel, um de nós peidou...

Anos depois, já com mais de 70 anos, resolveu se casar com uma austríaca de 20 anos que andava a fazer umas pesquisas por aqui. Viria a ser a minha Vó Babá, de Bárbara. Até os filhos mais velhos aconselhavam o já septuagenário:

– Esta menina vai te meter o maior chifre. Tu tá velho, homem!

E ele não se abalava:

– Pois saibam que eu prefiro dividir doce de leite com os outros a comer rapadura sozinho...

Já estava beirando os 90, quando estive com ele pela última vez. Fui visitá-lo em Uberaba. O que ele gostava mesmo, já viúvo (a austríaca, depois de 20 anos casada com ele, havia morrido de uma doença tropical nunca muito bem explicada), era de passear pelas ruas da cidade. Todos os dias.

Tinha um passo miúdo, aquele andar que leva um pé dois centímetros para a frente e depois leva o outro. Eu diria que ele deveria levar uns 20 minutos para andar um quarteirão. Pois um dia eu perguntei:

– Vô Nonô, por que o senhor gosta tanto de andar na rua, se mal consegue caminhar?

Ele colocou o braço no meu ombro, carinhoso:

– Meu filho, na minha idade, meu único divertimento, minha

única paixão é bunda de mulher. Saio todo dia para a rua para admirar as bundas. Cada vez tem mais bundas nas ruas, já notou? Como proliferam, Fabrico. Gosto de olhar para as bundas. Vejo umas duas ou três e volto para casa remoçado.

E me explicava – com toda a calma do mundo – seu método para admirar bundas:

– Presta atenção: eu vou caminhando numa direção. Aí, lá na esquina da frente eu vejo que vem vindo uma moça e sua bunda. Aí, eu estou no meio do quarteirão. Aí, eu começo a virar como se fosse voltar, está me entendendo? Pela lentidão com que eu faço este movimento em torno do meu próprio corpo, quando ela passa por mim, eu estou já virado para a parede. E a bunda passa bem na altura dos meus olhos. Aí, eu continuo a curva e vou na direção da bunda. Aí vem outra bunda na direção oposta. Começo a girar novamente. Quando ela passa por mim, está na mira. Isso é uma delícia. Isso me mantém vivo, meu filho.

A Lúcia Carvalho é aquela arquiteta que você publicou um texto na sua coluna falando dos banheiros. Pois acredita que eu mandei um *e-mail* para ela – dando os parabéns – e assinei **Mindinho**? Depois de alguma troca de *e-mails* – ela escreve feito uma matraca, mas muito, muito bem – me mandou uma crônica sobre o já mil vezes mencionado dedo. Olha que delicadeza mais simpática da parte dela.

Mulheres, mães e **mindinhos**

Hoje fui cortar as unhas de um dos meus filhos. Enquanto cortava, pensava em quantas unhas das crianças eu já cortei na vida.

Quando a gente vira mãe, amplia incrivelmente o universo de unhas a serem cortadas. Não sei se alguém já pensou nisso, mas olha: a cada filho que você tem, são dez anos – pelo menos – de unhas a serem verificadas e cortadas. Por você, a mãe. Se nós considerarmos que cortamos as unhas deles pelo menos de dez em dez dias, hum, deixa eu fazer uma conta rápida, dez dias, três por mês, 36 por ano, 360 vezes em dez anos, 20 unhas por criança,

7.200 unhas no total. E eu, com três filhos, terei cortado 21.600 unhas. Deusdocéu! Já estou quase nesta conta, considerando-se a idade dos meninos.

Deveriam criar um programa de reciclagem de unhas usadas, não? Devem servir para alguma coisa neste mundo. Tudo se aproveita hoje em dia, na medicina, nas pesquisas, por que não unhas? Imagina o volume que eu teria. Considerações à parte, devo dizer que a do **mindinho** é a que eles mais reclamam de cortar. Dizem que dói, gritam, ai, esse não! É que é uma unha tão minúscula, a gente quase não vê. Acho que acabo cortando uns pedacinhos do dedo deles junto. Vai ver que é por causa disto que os **mindinhos** são sempre tão pequenininhos, os menores dedos da mão. Por culpa das mães, que há séculos e séculos vão diminuindo os dedos dos filhos.

Agora, só mesmo sendo mãe para perceber a importância destes dedinhos. As mães de bebês devem entender o que eu falo. É o seguinte. Os bebês são muito pequenos quando nascem. E os **mindinhos** são a menor parte, do corpo das mães, que se mexe com certa agilidade. E aí é que está a importância, e talvez a principal função deles. O porquê de eles existirem. Tirar aquela remelinha do olho. Tirar a crostinha do ouvido. A sujeira das dobrinhas. Só mesmo com o **mindinho**, claro. Imagina tascar um dedão no coitado, nunca, é um ato natural das mães usarem o dedo **mindinho**. Inclusive porque nem força física ele tem, é um dedo levinho, delicado. E naquela hora de desespero da cólica de noite, quando a tal da chupeta simplesmente desaparece, o dedinho dobrado serve direitinho na boca deles para eles chuparem e sossegarem. E já teve filho meu que enfiou os negócios mais esquisitos no nariz, no ouvido. Como acha que eu tirei? Com o meu **mindinho**, claro. Acho que é o dedo mais materno que existe. Uma mãe eficiente precisa de **mindinho**.

Mas não somos todas mães, e eles continuam servindo. Apesar de todos os dedos serem importantes, eles são ainda mais para as mulheres. Pensa, lembra bem. Para acertar o batom na boca, principalmente quando você está sem espelho por perto, depois do golinho de champanhe. Para enxugar as lágrimas dos olhos maquiados... Para pentear a sobrancelha. Para ver se a comida está boa de sal. Ou para, disfarçadamente, experimentar um pouquinho do suspiro do bolo sem ninguém ver. Por aí vai.

Os meus têm um probleminha meio chato. Eles, por conta própria, resolvem se levantar a toda hora. Meu marido implica com isso. Vive me falando, hum, *que chique* tomando esse vinho. Hum, que mulher *mais fina* falando no celular. Hum, que *madame* tomando cafezinho. Que eu faço com esses dedinhos empertigados? Não sou eu que faço aquilo, são os meus **mindinhos** que resolvem. É coisa da cabeça deles. Realmente, talvez seja um pouco da minha educação interiorana. Todas as mulheres da minha família pegam nas xicarazinhas de café com aquela anteninha para cima, é um terror. Todas tias e primas se achando muito educadas. Mas essa regra nunca foi válida para os homens – quando eu era menina, era um dos conselhos que minha mãe mais dava – minha filha, olha bem pra mão do moço na hora dele pegar uma xicarazinha. Se levantar o dedinho... já sabe. Num sei não, achei esse moço aí, seu fã, meio esquisito, e eu tenho olho bom para essas coisas... ah, vocês não sabem de nada, nada mesmo, você, tua irmã. Teu pai sempre disse, homem que é homem mesmo segura forte, tem mãozona... iii, filha... o dedinho... fica de olho nele, hein?

Mas, seja mãe, seja filha, seja lá o que for, acho que a utilidade destes dedinhos vai sendo descoberta a cada dia. Por exemplo, hoje em dia teclamos nestes computadores sem parar. Nem precisamos mais da nossa voz para falar com as amigas. Tec, tec, tec, ao invés do blablablá. Bom, não sei, não. Eu não uso todos os dedos na hora de teclar, pensando (e olhando) bem. O meu **mindinho** não tecla nada. Só fica do lado dos outros, em pé. Talvez coordenando o trabalho dos outros, simples trabalhadores braçais. Ou melhor, trabalhadores dedais. É, talvez os **mindinhos** sejam os chefes das mãos. Dão ordens. São a batuta do maestro, dando o tom certo para a música. Isso me faz pensar sobre a questão do verdadeiro comando. Não nas mãos de quem está, mas onde está o comando dentro das nossas mãos. No dedo **mindinho**, é óbvio. E pensando (e olhando) de novo, impossível usar o *mouse* sem o **mindinho**. Com unha cortada ou não. Tente.

Sabe aquele livro que você me deu sobre a família Prata, escrito pela Délia Rosa Prata? Tive a pachorra de selecionar todos os apelidos dos Prata. E não é que tinha um **Mindinho** lá? Você sabia disso? E a tal da Gloreta é tua tia? Quando eu quero ser carinhoso com a Perereca, eu chamo ela de Gloreta. Efeito imediato, com rima idem.

Tudo Prata

Apelidos da família Prata, desde o final do século XIX.

Bem, Bembém. Nan, Naninha. Nô, Nonô. Nenê, Neném. Dim e Fia.

Ararica, Banica. Lilica e Lurdica. Milica, Zilica e Zazica. Tonica, Tunica, Sianica e Benzica.

Santa, Santaninha, Santinha e Santinho.

Mangalarga, Bacalhau e Chupa-Ovo.

Bilico, Borgico e Chico. Fiico, Nico e Perico. Zeca, Zequinha, Zezé, Zizinha e Chico Pinto.

Cadete, Major e Coronel Zeca.

Juquita, Lilita e Mariita. Quita, Quituca e Quinzinho. Fiica, Fiota.

Filhinha, Fiuquinha, Duquinha e Gloreta.

Bipe e Papau.

Bica, Deca, Dico, Doca, Dodô, Juca, Tuta, Toco, Tito, Tati, Teza, Sadô, Lolô, Luca, Nado, Neca, Nego, Bebé.

Tidinho, Lauzinho, Nhonhô e Nhozinho.

Tonho e Totonho.

Cotinha e Diquinha e Dorinha e Janinha e Mariinha e Leninha e Mariquinha e Maroquinha e Mourinha. Naninha e Nazinha. Nequinha e Nhazinha. E Nitinha e Pininha e Tiana e Tininha. E Melinha.

Moreno e Morena.

Lu, Lalau, Zazinho e Genga.

Inhana e Goiano.

Mindinho, Dedão, Dedinho e Dentinho.

Vença e Valim. Tonico e Nevito. Ninoca e Nezoca e Nazuca. Maroca e Mereco. Quincas e Quedu.

Didiu, Sindá e Fred. Bidoca, Caboclo e Carreto.

Puca e Oio. Meméia, Dudé e Dindico.

Neito e Mariquinha do Poço.

Cibilinha, Pipita e Sulinha.

Rola e Rolinha. Pratinha e Pretinho.

Yayá, Zazá e Zuzu.

Sinhá, Sinharinha e Sinhazinha.

Sinhô, Sinhozinho e Sultão.

Pequena, Pequenina e Grande Otelo.

Esta é uma outra sinopse que fiz e mandei para todos os canais. Como sempre, não obtive resposta. Cheguei até a pedir ajuda ao Walter Arruda. Lembra dele? Ele estava em Portugal, achei que podia interessar por lá. Mas quando a sinopse chegou lá, ele já não estava mais.

É para ser lida ouvindo "Hei, Jude", dos Beatles. Se não tiver à mão, qualquer uma dos meninos de Liverpool. Tirei a Glorinha da zona de Bauru. Está com sífilis e feliz com isso. Pensando em voltar com ela. Mas só pensando. Anda magra que só vendo. E ficando careca.

Hei, Jude!!!

(Sinopse – Minissérie em 20 capítulos de 25 minutos, para a televisão de Portugal.)

Há poucos anos a Febem (Fundação Estadual do Bem-estar do Menor), uma instituição brasileira que deveria cuidar do menor abandonado mas que, na verdade, "cria" enormes bandidos, abriu as suas portas e seus arquivos para quem quisesse saber tudo o que já se passou lá dentro.

Tenho a impressão de que alguns garotos e garotas que foram adotados por famílias abastadas – principalmente aqueles que permaneceram por lá alguns anos e depois fugiram – gostariam de ir mexer naqueles arquivos, descobrir a sua origem, tentar lembrar um pouco da sua infância. Enfim, saber de onde vieram e por quê.

Vamos contar a história de Jude (Judith, na verdade), que hoje tem 20 anos, é "garota de programa", prostituta fina em São Paulo. *Scort Girl*. Acompanha executivos em jantares, pequenas viagens, sabe? Pois. Dessas que os porteiros de hotel chamam para saciar executivo em congresso. Tremendo mau-caráter, mas de uma inteligência afiadíssima. Além de linda, é claro. E atriz pornô das boas.

Pois é. Um dia Jude leu no jornal que tinha o direito de ir lá mexer naqueles velhos alfarrábios. Foi com o seu namorado, agente, gigolô (igualmente péssimo caráter, e quem, de certa maneira, a explora), Paulinho, que tem 40 anos. E descobriu o seguinte:

Quando ela e a irmã gêmea Esther (nem isso ela sabia: da irmã gêmea) tinham dois meses de idade, foi lá um casal de portugueses e a adotou. Adotou ela, Jude. No dia seguinte, devolveram a Jude por causa daquela estranha atrofia no dedo **mindinho** (que a acompanha até hoje) e levaram a outra gêmea, a Esther.

Mexendo mais, lendo mais, descobriram cartas da família que adotou a sua irmã Esther 18 anos atrás. Esther vive hoje em Lisboa.

E descobriram mais. Através desse material, ficam sabendo que a família que adotou Esther, os Rodrigues da Cunha, tem muito dinheiro. Muito mesmo. Inclusive doaram dólares para instituições de caridade no Brasil. E mais: sempre mandaram fotos da pequena e hoje jovem menina Esther para a Febem. Está lá a foto mais recente. Jude e Esther são absolutamente iguais. Jude tem o cabelo maior. No mais, idênticas.

Começam um grande plano. Viajar para Lisboa e seqüestrar Esther, e Jude assumir o lugar dela na quinta de Azeitão.

Viajam para Portugal depois de arrumar dinheiro suficiente para viver dois meses em Lisboa antes do seqüestro. Sim, são necessários dois meses de planos, observações e, o mais importante, para Jude aprender o sotaque. Isso não é muito difícil, pois desde pequena Jude adora representar. Vestida, inclusive.

■

Mas, enquanto lá no Brasil, Paulinho (o namorado) e Jude fazem os seus planos, vamos conhecer em Lisboa a irmã gêmea, a Esther Rodrigues da Cunha.

Os Rodrigues da Cunha, além de muito ricos, são muito católicos, praticantes. Esther tem um noivo, também de tradicional família lisboeta, chamado João, pouco mais velho do que ela e também católico. O que importa é que Esther, ao contrário de Jude, é virgem.

Quando começamos a mostrar a personagem Esther em Portugal, é justamente o dia do noivado dela com João. Assim, vamos conhecendo todos os personagens mais ligados a Esther. Ou seja, a sua família, a família do João e os amigos e amigas de ambos, a turma dos pais deles, que serão, basicamente, os principais personagens da novela. João, por exemplo, tem um irmão, Pedro, metido a fazer cinema e teatro, que grava em vídeo todo o noivado. Esta fita, mais para a frente, vai ser de fundamental importância para a nossa história.

Portanto, Esther tem os hábitos completamente diferentes da irmã gêmea. Um detalhe: Esther também não sabe que tem uma irmã gêmea. Mas os seus pais sabem. E sabem mais: que a irmã gêmea dela tinha aquele problema no dedo **mindinho**, é claro.

Paulinho e Jude chegam em Lisboa. Primeiro movimento é ficar seguindo Esther por toda a parte. Assim, vamos conhecendo seus hábitos, seus lugares preferidos. Paulinho segue mais proximamente. Jude mais a distância, sempre de óculos escuros etc.

O primeiro problema é que eles têm que arrumar um "sócio" português para o empreendimento, nem que seja apenas para dar os telefonemas relativos ao seqüestro. Se forem eles a falar, vão saber, logo de cara, que se trata de uma quadrilha brasileira. Começam a freqüentar Alcântara e outros bairros barra-pesada até descobrirem, um dia, um rapaz (Antônio) que está a bater na sua namorada na rua, impiedosamente. Jude e Paulinho intervêm, separam os dois e acabam ficando amigos, indo aos copos. Está formado um quarteto impossível.

Depois de alguns dias, Paulinho já conhece Antônio o suficiente para convidá-lo para o plano do seqüestro de Esther. No que ele aceita imediatamente. Ele e a sua namorada cabo-verdiana, a deliciosíssima Filomena. Os quatro alugam um apartamento no centro de Lisboa e começam os planos.

Um negócio que eu esqueci de dizer é que Paulinho adora mulher, é quase tarado. Não pode ver um rabo-de-saia que se assanha logo. É claro que ele vai tentar engatar Filomena. Mas isso é mais para a frente.

Enquanto isso, no mundinho de Esther, João está tentando convencê-la a manter relações sexuais com ele, já que estão mesmo noivos e vão se casar. Mas não adianta. Esther é mesmo muito careta e não abre mão (ou melhor, não abre as pernas).

Importantíssimo: Esther nem imagina que seja uma filha adotiva. Apenas seu pai e sua mãe sabem disto. Nem as outras pessoas da família dos seus pais sabem. Eles moraram no Brasil, inventaram a gravidez e nunca ninguém desconfiou de nada. Esther sabe apenas que nasceu no Brasil, onde seu pai, há 20 anos, montou uma pequena indústria de máquinas de torrefação de café.

Ainda no mundo de Esther, o seu futuro cunhado Pedro vive insistindo para ela vir a ser estrela do seu próximo espetáculo teatral. Esther sempre relutará. Mas sempre deixa uma certa esperança no cunhado.

Acontece o seqüestro de forma espetacular. Os primeiros telefonemas. Esther ainda não viu Jude. Pedem 100 mil contos para devolver Esther. O pânico na casa de Esther, a polícia, a imprensa, todo Portugal sabendo do seqüestro da rica e noiva Esther Rodrigues da Cunha. A reação do noivo, da família do noivo.

Os dias vão passando, os telefonemas vão se escasseando, a aflição é geral.

Enquanto isso, no esconderijo dos seqüestradores, finalmente Esther fica conhecendo Jude. É um choque o encontro entre as duas irmãs. Esther fica sabendo que a outra é irmã gêmea dela e, conseqüentemente, que ela não é mesmo filha dos Rodrigues da Cunha.

Para sorte dos seqüestradores, quando Esther foi raptada, levava consigo aquele vídeo do noivado dentro da bolsa. Isso é ótimo, porque eles ficam estudando o vídeo e sabendo quem é quem na vida de Esther, para que Jude possa representar bem o papel da irmã. O plano é tirar grana da família, ela casar com o noivo da Esther, dar um golpe de dinheiro e fugir para o Brasil.

O seqüestro dura aproximadamente um mês, tempo em que Esther começa a colaborar com os seqüestradores e passa a dar todas as informações para eles. Ela, cada vez mais, não perdoa o fato de os pais nunca terem revelado para ela que era adotada.

Evidentemente que Paulinho vai se envolver com Esther depois que Jude for tomar o lugar dela. A virgindade da garota o estimula muito.

É pago o seqüestro e Jude vai ter com os seus "pais". Imprensa, família, televisão, todos querendo falar com ela, saber detalhes do seqüestro. Mas ela está abalada, não fala quase nada. É como se estivesse em estado de choque. As pessoas acham ela meio estranha, meio diferente, mas imaginam que isto é por causa do choque. Seu depoimento à polícia é absolutamente lacônico.

Pouco a pouco ela vai entrando na vida da família. Claro que ela tem que tomar todo o cuidado do mundo para não dar fora, não dar bandeira, não demonstrar ser outra pessoa. E sempre, sempre a ocultar o dedo **mindinho** atrofiado. Ou está sempre com a mão fechada ou usa luvas. É inverno. O que todos concordam é que ela parece outra pessoa, depois de tudo aquilo.

E onde ela coloca o seu furor sexual se agora é virgem? Claro que ela seduz o irmão do noivo idiota. Pedro nem acredita que aquela maravilha caiu nos seus braços. Mas sempre numa certa penumbra, para que não veja o dedo **mindinho.** Vamos criar aí um grande conflito familiar. Ela vai fazer teatro, por exemplo. E será um grande sucesso.

Mas, mãe é mãe e começa a desconfiar da filha. Conversa com o marido. Acham que a filha está ficando louca, que não lembra de muita coisa. Obrigam a menina a fazer análise. A situação começa a ficar preta para Jude. Chega o verão, todos vão para a piscina, para as praias, e ela não vai por causa do dedo. E Paulinho, onde andará? Ela procura por ele por toda Lisboa. Sumiu com a Esther, dizem Antônio e Filomena, que começam a extorquir dinheiro para ficarem quietos sobre o passado dela.

Mas a situação toda vai se reverter quando o pai de Esther perde tudo, tudo, num maldito jogo de pôquer. E agora? Como deverá agir Jude? E a extorsão de Antônio e Filomena, como fica? Ela deve procurar Paulinho, que sumiu. Apenas ele poderá ajudá-la agora. Talvez o melhor seja ela se casar logo com o noivo idiota. E onde andarão Paulinho e Esther? Estão no Brasil. Paulinho já resolveu o problema da virgindade de Esther há muito tempo e quase está convencendo-a a cair na vida, a ganhar dinheiro com a alta prostituição.

O que aconteceu ao longo de vários e vários capítulos é que Esther começou a conhecer outro mundo, bem diferente daquele que lhe ensinaram em casa e na escola e começou a gostar disto. Tem saudades dos seus entes queridos, é claro. Mas, para ela, são umas férias aquilo. Um sonho, talvez, que um dia vai terminar.

Por seu lado, Jude também vai sofrendo as suas modificações. O fato de ir à missa, conhecer pessoas religiosas, faz com que ela mude as suas leituras, comece a se interessar por outras coisas. Jude está mudando. Todo mundo já começa a dizer que a "Esther" está voltando a ser o que sempre foi. Inclusive forjou um acidente esquiando, para justificar aquele dedo torto.

E é isto que vai acontecer até o final da novela. Jude torna-se uma Esther, e Esther torna-se uma Jude. E ambas, cada uma a sua maneira, ficam felizes. No final da novela, as duas vão se encontrar, trocar opiniões, ficar grandes amigas (irmãs gêmeas, lembram-se?) e, eventualmente, podem até trocar de posição novamente, apenas para lembrar como era a vida de cada uma.

Sei que não poderia deixar fora dessa caixa de memórias a minha história policial, aquela de quando fui acusado do assassinato da dona Ana Blanche, lá em Uchôa.

Fui eu mesmo que escrevi a história em forma de conto. O conto pode até não ser muito bom, mas a história é ótima. E é claro que a Glorinha nunca leu isso. Mas agora que ela já morreu, pode publicar. Você vai notar que o diálogo é mais sexual do que policial. Usando da sua influência, coloquei um ou outro passarinho na história. É um dos meus últimos contos.

Mindinho bom de cama

Eu já havia terminado de ler aquele IP sobre o carpinteiro que estava fazendo a porta para o amante da mulher quando o Douglas titilou o cacetete nas grades. Eu estava ali, acusado de um crime que eu não cometi – há exato um mês.

O doutor Capella é um homem bom e justo. Chegado às letras, na pequena cidade do interior de São Paulo, Uchôa. Mas é delegado. E delegado é delegado. Um homem bonito, cabeleira toda branca e brilhante. Acendendo um cigarro no outro. E tossindo, como convém.

– Meu chapa, um mês já se passou e eu não estou mais podendo segurar as pontas. É muita pressão. Vou ter que terminar meu relatório e mandar para o Fórum.

– Doutor Capella, olha bem para a minha cara e vê se eu tenho jeito de assassino. Vê. Examina. Não bato em mulher nem com flor. Se bem que teve uma que/

– Isso não vem ao caso. Presta muita atenção no que vai falar porque é seu último interrogatório. Comigo, porque com o promotor vai ser foda! Como ele mesmo diz, é implacável! E o senhor não quer um advogado! Quer você mesmo se defender. Você tem registro na OAB?

– Só posso dizer que sou inocente.

– Meu amigo, a dona Ana Blanche foi esfaqueada brutalmente. No quarto dela foram encontradas mostras de esperma (muitas!) por todo lado. Porra sua, porra! No cabelo, no nariz, nos seios, no umbigo, nas costas. Impressão digital até no congelador. Você tá fudido, cara!

– A porra é minha, reconheço. Mas não matei ninguém não, não senhor.

– Então o que é que a sua porra estava fazendo na barriga, na cara e até no pé da vítima?

– Bem, podemos dizer que eu gozei por ali. Sempre tive muita porra.

– Gozou e depois matou.

– Só gozei!!!

– Tá bem. Gozou, passou a cortina no pau (tem porra na cortina, cara!), deixou a mulher lá (casada!) e foi ao cinema?

– Na verdade fui para a loja, porque havia chegado uma encomenda grande de Franca.

O doutor Capella foi olhar para fora da janela. Mania que todos os delegados têm, de interrogar olhando para a rua, para as árvores. Apagou o cigarro no cinzeiro. Devia ter umas 30 bitucas por ali.

– Se você, pelo menos, me explicasse como é que a sua porra foi parar ali – o umbigo dela era um lago – e você não é o assassino, eu talvez pudesse te ajudar. Mas você sempre pára a história nesse ponto.

Para me safar daquilo eu deveria contar algo muito íntimo, o meu segredo de alcova, o meu segredo de bom de cama. O meu segredo de levar as mulheres a orgasmos hipermúltiplos.

– Como foi que o senhor conheceu a dona Ana Blanche, se ela pertence à mais alta sociedade uchoense e o senhor vende sapatos?

– Peguei no pé dela.

– Isso eu sei. Estou perguntando como foi que o senhor conheceu ela.

– Pegando no pé dela. Ela foi experimentar um sapato. Quando eu peguei no pé dela e alisei sutilmente o **mindinho** – como quem não quer nada –, senti, com a outra mão, a esquerda, que estava na barriga da perna, senti que se arrepiou. E alguém já havia me dado o toque que ela dava.

– Tá, o senhor foi lá, bateu uma e voltou.

Um silêncio desgraçado. Resolvi abrir.

– Não foi a primeira vez. Eu fui lá muitas vezes, doutor Capella. Ela gostava do meu jeito. De transar, sabe? Meu estilo único, modéstia à parte.

– E o senhor pode me dizer que jeito é esse? Que estilo é esse? Cá entre nós? Sim, porque você não é bonito, nem forte, nem dinheiro tem. Como é que você come a cidade inteira? Com essa carequinha e tudo?

Ele queria mesmo saber o segredo. Era a minha vida que estava em jogo. Eu ia ter que contar, merda! Ou pagaria por aquele crime. Porra de merda!

– Se isso não constar nos autos, posso lhe adiantar alguma coisa a respeito. Por fora. Caixa dois.

O doutor Capella, sem falar nada, foi até um armário que ficava atrás apoiando a bandeira do estado de São Paulo, olhou para a fotografia do Médici na parede, abriu a porta, tirou uma garrafa de uísque e gritou alto:

– Douglas, me traz um balde de gelo que nós vamos tomar K-Suco.

E ficamos nos olhando enquanto esperávamos o serviçal público com o gelo. O serviçal era dos bons. Nem um minuto. Serviu em copos curtos – como convém a um bom K-Suco – e sumiu. O delegado nos serviu e fizemos até um tintim protocolar.

– Mas bico, né? Está vendo a minha mão direita? Não tenho o **mindinho**. Meu pênis/

– Pode falar pau, caralho!

– Meu pau é módico/

– Como? Mó o quê?

– Pequeno, doutor. Mas a mão é pródiga.

O delegado dilata as narinas sem parar:

– Pequeno, quanto?

– Sei lá, doutor. Nunca medi. Então, conforme eu estava dizendo, eu vou com os dedos. Primeiro o dedão. Depois o dedão com o indicador. Assim por diante. Felizmente eu não tenho o **mindinho**. Porque o **mindinho** trava. Se o senhor coloca os quatro dedos lá dentro e o **mindinho** fica de fora, ele fica esbarrando ali naquele espaço conhecido como terra de ninguém. Isso pode até machucar a mulher, se a unha não estiver muito bem aparada. Como eu não tenho o **mindinho**, e a minha mão é mais fina, entra tudo, feito quiabo. E elas deliram. Deliram, doutor!

Ele ficou me olhando, não sei se porque não acreditou em nada ou se com uma certa inveja deste meu segundo membro.

– E, com a esquerda, faço o serviço manual em cima dela. Entendeu a porra, agora? Quando elas gozam, eu gozo nelas. Piram, doutor Capella, piram!

O doutor Capella levantou um pouco a sua própria mão direita e ficou admirando-a, depois de puxar a manga quase até o cotovelo. Era sexualmente horrível a mão do doutor Capella. Além de gorda, peludíssima. Frustrou-se, tenho certeza. Eu depilo, claro.

Mas depois voltou o olhar para mim. Encheu de novo os copos. Eu já estava meio de pilequinho. Não bebia há um mês. E aquele *scotch*, assim, nove da manhã, desce pedindo desculpas e olhando feio. Mas, mesmo assim, dei mais uma bicadinha. Já desceu melhor, agora.

Eu sempre acreditei em destino e coincidência. Aliás, o Shakespeare já dizia: o que seria de uma história se não fossem as coincidências?

Tocou o telefone. Ele atendeu e ficou naquela linguagem de novela quando quem fala não quer que quem está do lado entenda:

– Ele! Capella, porra! Sei. Quando? Certeza? Confessou? Sei (longa pausa, ouvindo). Sei (riu). Claro. Tô com ele aqui, na minha frente. Desligou.

Sorriu para mim.

– Prenderam um cara em Rio Preto por ter matado uma puta de lá. E ele confessou o crime daqui. Na porrada, mas confessou em detalhes. Contou que viu você enfiando a mão lá dentro, pela janela. Ia passando como quem não quer nada, parou e ficou ali, na dele. Ficou com tesão, esperou você sair, entrou, tentou fazer a mesma coisa. Enfiar a mão lá na mulher. Ela gritava de dor/

– É o **mindinho**! É o **mindinho**! O **mindinho** machucando a terra de ninguém.

O doutor Capella continuava a contar o crime, como só um delegado consegue:

– Ela gritava de dor, gritava alto. Tinha uma tesoura ali perto.

– Tinha, me lembro. Eu tinha levado uma goiabada para ela e ela usou para/

– O elemento apoderou-se da tesoura, imobilizou a vítima e o resto você pode imaginar.

Servia mais uísque. Agora desceu liso que foi uma beleza. A dose da liberdade.

– O senhor está livre. Mas te aconselho a vender a loja e se mandar daqui. Afinal, o marido sabe que a porra era sua. Aliás, a cidade toda sabe. Deu até na parte regional do SBT.

Peguei meus pertences, troquei de roupa, assinei uma porção de papéis – esses que já vêm dum jeito que não dá a menor vontade de ler. Já vem com a cruzinha onde tem que assinar. Mandei bala.

O delegado me acompanhou até a porta que dava para a rua.

Nos cumprimentamos e quando eu já ia me virando, ele perguntou:

– Desculpa a curiosidade um tanto, digamos, íntima. Mas depois que enfiava a mão lá dentro, deixava os dedos emparelhados, quietos, retos, ou mexia com eles?

E eu estalei o dedão com o indicador, fazendo aquele som oco. O delegado também estalou os dedos dele, sentiu a sensação, entendeu o funcionamento e começou a rir.

E eu, a rir, fui atravessando a rua, assoviando a música de "West Side Story", a estalar os dedos.

Foi quando eu levei dois covardes tiros pelas costas. Deve ter sido o marido da dona Ana Blanche. E eu acabei morrendo, ao dar entrada na Santa Casa de Uchôa, sem ao menos saber quem me matou.

Achei legal a morte do personagem no final. Acho que pega bem. Os puristas vão gostar. E fica uma certa dúvida. Pode ter sido o delegado, de ciúmes. Pois, segundo consta na cidade, a autoridade era famosa por ter pau pequeno. Me recordo que, quando falei que o meu era módico, ele ficou meio incomodado. Homem de pau pequeno sofre mais do que homem sem **mindinho**. Podes crer.

A triste poeta portuguesa também tinha uma relação com o **mindinho**. Veja que bela biografia eu escrevi sobre ela para uma revista feminina de Lisboa. O texto está em português de Portugal.

Esta mulher sofreu mais do que a minha mulher. Mesmo nos bons tempos da Glorinha.

Quem tem medo de Florbela Espanca?

Em 1929, uma mulher de 35 anos anda pelas ruas de Lisboa com dois grossos envelopes debaixo do braço. Está atrás de uma editora para a publicação de um livro de poesia e outro de prosa. Não consegue convencer nenhum editor de que ali estão algumas das melhores poesias dos anos 20 em Portugal. Seu nome é Florbela Espanca. Um ano depois, ela iria se matar.

Talvez não tivesse se matado se passasse num teste que fez em Lisboa, neste mesmo ano, para ser atriz de um filme. O filme se chamava *Dança dos Paroxismos*. Seu realizador, Jorge Brun do Canto, muitos anos depois, diria ao "florbelista" Rui Guedes:

– Quem podia imaginar que por detrás daquela rapariga apagada se encontrava o monstro de poesia e sensibilidade que hoje conhecemos?

Sim, talvez, se se tornasse atriz, deixaria de ser aquela rapariga apagada a que se referiu Brun do Canto. O que o realizador não sabia é por que ela era tão apagada, tão triste, tão ensimesmada, tão angustiada, tão carente, tão depressiva. E tão criativa.

Uma mulher que teve uma vida agitada antes de nascer e mais agitada ainda depois que morreu. Uma mulher defasada no tempo. Na literatura, era simbolista, coisa do século passado, uma poesia subjetiva, uma concepção mística da vida, uma certa melancolia e, às vezes, até mesmo uma morbidez, enquanto seus contemporâneos, como Fernando Pessoa ou Mario de Sá-Carneiro, já mostravam tendências pré-modernistas, com uso de versos livres, gosto pela invenção verbal. Ela, não. Fiel ao velho soneto, aos símbolos, ao cinza e preto. Seu livro de cabeceira era o *Só* de António Nobre, segundo alguns críticos, o livro mais triste de toda a literatura portuguesa.

Se na literatura ela andava pelo século passado, teve uma vida social digna deste louco final de século XX. Imaginem que esta rapariga, em sua curta vida de 36 anos, teve três maridos e, que se saiba, mais cinco namorados. Era uma escandalosa! Em certos momentos de sua vida, até mesmo a sua família lhe virou as costas.

Mas vamos por partes. Dizia eu que a sua vida já era um escândalo e já agitada muito antes de ela nascer.

O pai, João Espanca, uma mistura de sapateiro, antiquário e fotógrafo profissional, casou-se aos 21 anos com Mariana do Carmo. Estamos em 1887. Sete anos se passaram e Mariana não conseguiu engravidar. Eis que João Espanca, tido na época como grande namorador, consegue convencer sua mulher Mariana a fazer um filho fora de casa e trazê-lo para ser criado por ela. E não é que ela aceitou? Não se sabe que argumentos João, então com 28 anos, usou.

E não foi uma mulher qualquer que João escolheu. Ao pé da sua casa vivia uma tal de Antónia Lobo. Logo ali, três casas acima. Há uns dois anos que João estava de olho nela quando a via passando ali pela Rua do **Mindinho** (atual Rua Gomes Jardim), em Vila Viçosa. Antónia tinha apenas 15 anos, um sensível rosto e um belo e virginal corpo. Corpo que logo começou a crescer para dar vida a Flor Bela Lobo, como foi registrada, filha de Antónia da Conceição Lobo e de pai incógnito. Florbela vinha ao mundo às duas horas da madrugada do dia 8 de dezembro de 1894, ali mesmo, na Rua do **Mindinho**. No mesmo dia 8 de dezembro (mas de 1930), exatamente na mesma hora, longe dali, no norte, em Matosinhos, Florbela se mataria. Na cabeceira um resto de leite num copo e, debaixo da cama, dois vidros de Veronal. Vazios.

Segundo ela mesma, até os 16 anos, sua vida ia muito bem. Veja este trecho de uma carta a uma amiga:

– Cresci despreocupada e feliz, rindo de tudo, contente da vida que não conhecia, e de repente, amiga, no alvorecer dos meus 16 anos, compreendi muita coisa que até ali não tinha compreendido e parece-me que desde esse instante cá dentro se fez noite.

O que terá acontecido com Florbela quando ela tinha 16 anos? Não se sabe. Cursava a 4ª classe no Liceu André de Gouveia e em 5 de outubro estava com a família no Francfort Hotel, no Rossio, quando o golpe militar derrubou a monarquia. Evidentemente que isto não deve ter afetado em nada a sua vida. Deve ter visto a revolução passar no Rossio pela janela do seu hotel. Nesta época ela andava lendo Balzac, Alexandre Dumas, Camilo Castelo Branco, Guerra Junqueiro. E foi quando arrumou o seu primeiro namorado: Manuel Maria Matroco, colega de classe e de visitas às bibliotecas.

Mas será que foi somente com 16 anos que tudo começou a ficar negro na vida da poetisa? Como explicar, então, o título e o conteúdo do seu primeiro poema: "A Vida e a Morte"?

O que é a vida e a morte
Aquella infernal enimiga
A vida é o sorriso
E a morte da vida guarida

A morte tem os desgostos
A vida tem os felises
A cova tem a tristeza
E a vida tem as raizes

A vida e a morte são
O sorriso lisongeiro
E o amor tem o navio
E o navio o marinheiro

Florbela completara apenas 8 anos quando fez este poema. Se, por um lado, já mostrava possuir talento para as letras, por outro mostrava também a sua fixação com a morte. E não é à toa que aos 11 anos já tenha os seus primeiros sintomas de insônia, depressão e angústia.

Não foi muito simples a sua infância. Seu pai, que agora já tinha um animatógrafo e vivia a passar filmes mudos de casa em casa, mantivera o seu "romance" com Antónia e quando Florbela tinha 3 anos, ele levou um garotinho recém-nascido pelo ventre de Antónia para casa. Como aconteceu com Florbela, Antónia ia algumas vezes por dia até a casa de João e Mariana para amamentá-lo. Este garotinho, Apeles, será o grande, o maior amor de Florbela durante toda a sua vida. Uma paixão que alguns historiadores dizem que chegou perto do incesto.

Não contente em ser casado com Mariana e fazer filhos em Antónia, João começa a namorar a empregada da casa, Henriqueta de Almeida. Viria a se casar com ela mais tarde. Quando começou a namoriscar a Henriqueta, Florbela tinha 12 anos e comentava o caso com o irmão, que também havia percebido.

Florbela está com 14 anos quando sua verdadeira mãe (Antónia Lobo) morre. *Causa mortis*: neurose.

Ainda menor de idade, casa-se pela primeira vez. Seu marido é Alberto Moutinho, que ela conhecia desde os 10 anos de idade. Nem Apeles nem o pai apoiavam este casamento. Eles ainda eram estudantes. Florbela tinha 19 anos e ele 20. Para sobreviverem, davam explicações, ou seja, aulas particulares. Florbela começa a fazer cada vez mais poesias. Mas ninguém conseguia viver de explicações e poesia. João Espanca é quem sustenta o casal. Meses depois de casada, Florbela faz o primeiro aborto (sabe-se de três, durante sua vida) involuntário. Quem vem lhe ajudar? Henriqueta, a ex-criada.

Estamos agora em 1914, a guerra estoura na Europa e Florbela publica seus primeiros poemas na imprensa portuguesa. Aliás, modificados pelos editores, o que a deixa mais triste ainda. Durante grande parte da sua vida, seus poemas serão sempre publicados modificados pelos redatores das revistas e jornais.

Pouco tempo depois, com 23 anos, está em Lisboa, estudando o terceiro ano de direito numa sala de aula onde é a única mulher. Seu marido vive em Algarve. Há um casamento com baile de carnaval. Florbela está linda. Florbela conhece um jovem militar, António Guimarães. Não teve dúvidas. Foi morar com ele. O escândalo explode em Lisboa (entre os superiores de António), em Vila Viçosa (na casa de João, Apeles e Henriqueta) e, evidentemente, na casa do marido, no sul. Este, ao saber, escreve uma pungente carta ao sogro propondo o divórcio e diz achar melhor que ela diga que foi ele quem abandonou o lar. Quer evitar escândalos.

1921: Florbela, com 27 anos, vai de médico em médico. Anda fraca. Casa-se com o militar António que, dizem, batia nela. 1923:

segundo aborto, diagnosticado como "abortus syphiliticus". De médico em médico conhece um médico militar, Mario Lage. Se apaixona por ele. António põe ação de divórcio contra Florbela por abandono de lar e injúrias graves não especificadas. Dizem que disse o diabo sobre ela diante dos juízes. Por outro lado, Mariana consegue oficialmente o divórcio provando que João vivia maritalmente com Henriqueta há já 15 anos. João casa-se com Henriqueta. João e Apeles estão brigados com Florbela.

Florbela vai morar na casa dos pais de Mario Lage, em Matosinho. Casa-se no civil e no religioso com o médico, o que faz com que João e Apeles a aceitem novamente. Apeles vai visitá-la, fala da namorada que está doente. Morre a namorada de Apeles. Ele fica mal. Ela fica pior ainda.

Mas foi em 1927 o pior dia da vida de Florbela. Dia 6 de junho, às duas e meia da tarde. Apeles, que era piloto-militar, despenca com o seu Hanriot 33 nas águas do Tejo bem ao lado da Torre de Belém. Nunca foi encontrado o corpo. Apenas alguns destroços do avião. Destroços estes que serão enterrados com Florbela, três anos depois.

Como diz Rui Guedes, "nunca mais conseguiu dormir tranqüila, nunca mais se riu, nunca mais deixou o luto. Era o princípio do fim".

Tem forças apenas para amar. Amar à sua maneira. Tem ainda um caso com o pianista, concertista e médico Luis Maria Cabral e outro com Angelo Cesar no Grande Hotel do Porto.

Mas a sua vida já é de médico em médico, remédios para dormir, tranqüilizantes, recusa de publicação dos livros. Quer ser atriz. Não consegue.

Dia 8 de dezembro de 1930, duas da manhã. Mesma hora, dia e mês em que nasceu. Dois vidros de Veronal.

Um ano depois da sua morte é finalmente lançado o seu primeiro livro, *Charneca em Flor*.

Quando a poeta morreu, João Espanca tinha 64 anos. Pediu a Mario Lage todos os manuscritos dela, alegando seu direito de herdeiro. Mario Lage contestou, pois ele não era pai oficialmente.

Quatro anos depois da morte é publicado em Coimbra *Sonetos Completos*. Neste mesmo ano, Diogo de Macedo termina e envia para Évora um busto de Florbela que ficará, durante anos, encaixotado e fechado numa arrecadação, num depósito da Câmara, no Palácio D. Manuel. Florbela ainda não era bem-vinda à terra natal. A Igreja não admitia a sua vida fora dos padrões normais para a época.

Em 1949, 19 anos após a morte da poetisa, João Espanca a reconhece como filha legítima em Vila Viçosa e fica com os direitos autorais. Neste mesmo ano, inaugura-se o busto de Florbela, em Évora.

Em 1954, morre João Espanca e deixa todos os direitos autorais para Henriqueta.

Em 1964, finalmente, o arcebispo de Évora reconhece Florbela como uma grande escritora. Neste mesmo ano é transladado para Vila Viçosa, com a presença de Mario Lage com 71 anos, o corpo de Flor Bela Lobo, ou, como ela preferia, Florbela Espanca, que dizia pouco antes de morrer:

– Sou pagã e anarquista, como não poderia deixar de ser uma pantera que se preza. Nem saúde, nem dinheiro, nem liberdade. A Pantera está enjaulada e bem enjaulada, até que a morte lhe venha cerrar os olhos...

Germano Almeida é o maior escritor de Cabo Verde. Aqui vai um conto erótico dele.

Hoje foi a missa de sétimo dia da Glorinha. Foi péssimo. Já viu como padre só fala merda em missa de sétimo dia? Decidi que não vai ter missa de um mês. Minha casa tá uma zona de dar dó. Viuvez é foda! Vai por mim. Não tem nada a ver com separado, não. Pois existe a certeza de que você nunca mais vai ver. Não tenho com quem brigar. E aquele dedo dela, o médio? Que é o maior de todos? Como não sentir saudades dele?

O Carneirinho

Conhecemo-nos pessoalmente durante um jantar no restaurante "Sodade" e a primeira coisa que me disse com um encantador sorriso foi que gostava muito que os amigos o tratassem por Carneirinho. E enquanto engolia pedaços de lagosta suada, perguntou se eu não achava que era um nome supercarinhoso. Concordei. Mas foi só lá pelo meio do segundo prato que ele declarou que estava apaixonado por mim, acrescentando de seguida que ficasse, porém, descansado porque ele não era bicha. Não posso dizer que tenha ficado particularmente feliz em saber aquele pormenor, mas era sem dúvida uma postura pessoal contra a qual nada podia fazer. Assim só muitos anos depois vim a descobrir que ele havia me enganado sem qualquer necessidade, fazendo com que tivéssemos desperdiçado uma enorme quantidade de tempo que aliás nunca mais viríamos a recuperar, não obstante todos os esforços feitos em contrário.

Não que não me tivesse chamado a atenção uma certa inabilidade como tratava com mulheres. Quando estávamos a sós, ele revelava-se um conversador inveterado, bonacheirão e com piada e uma vez chegou mesmo a confidenciar-me que tinha levado a sua vida sexual em São Vicente na base da punheta e isso era uma situação que parecia confrangê-lo particularmente. Vou ter que dar um jeito nisso, disse-lhe, se continuas assim na punheta ainda acabas por chegar ao Brasil completamente impotente e isso é muito má propaganda para Cabo Verde, um país conhecido em todo o mundo pela sua morabeza, sua ternura e mulheres boas e onde tu mesmo reconheces que a bunda abunda. Vou falar com as minhas amigas, saber qual delas quer ir para a cama contigo.

Porém, se por exemplo acontecia uma delas me visitar e eu lhe dizer, Carneirinho, vamos namorar um pouco a três, ele logo se acanhava e respondia evasivo, olha, francamente neste momento não me apetece, ainda agora acabei de fazer uma deliciosa punheta, prefiro antes um charo e uma cerveja.

No entanto, comecei a ficar com muita pena dele e da forma faminta como estava sempre a olhar para mim e para o meu meio-de-perna e então pedi a Marta que fosse amável para com ele, que o convidasse para a cama. Ela logo ficou muito entusiasmada com a idéia, disse que desde que tinha visto o Carneirinho que não tinha pensado noutra coisa, de há muito que desejava fazer amor com um brasileiro para ver se são tão bons como passam o tempo a basofiar, apenas receava que eu ficasse com ciúmes. Garanti-lhe que não, que neste aspecto sou comunista, o que é meu é também dos meus amigos. Mas depois ela mesma reconsiderou e acabou por dizer que preferia que experimentássemos uma novidade, que fôssemos a três para a cama. Disse isso ao Carneirinho, mas, ao contrário do que eu previa, ele recusou a idéia escandalizado, disse que nunca o tinha feito e não seria agora em Cabo Verde que... Mas qual é o teu problema, rapaz, perguntei-lhe e ele respondeu que o problema era a falta de controle da situação, uma pila suja de langonha a cruzar-nos a cara ou a boca, um fulano não ter segurança no seu cu numa hora daquelas... Garanto-te sob palavra d'honra a total segurança do teu cu, jurei-lhe, ponho-o sob a minha directa protecção e prometo-te que nenhum mal lhe acontecerá! Mas mesmo assim ele continuou duvidoso, às vezes uma distracção, disse, e lá vai a honra de um homem pró caralho...

Por sua vez a Marta muito lamentou o reacionarismo sexual do Carneirinho. Os brasileiros têm tantas manias de que são bons, disse ela, passam o tempo a afirmar que são uns machões de primeira, e este aqui tem a oportunidade de o provar e recusa participar numa *ménage à trois* em competição directa com um caboverdeano. Mas acabou por filosoficamente concluir que nessas coisas cada um é como é e nada há a fazer.

Mas um dia a Marta chegou e começou a olhar para ele e a desafiá-lo com evidente ar de troça e a dizer que afinal o Brasil é só futebol e telenovela, machos a sério a gente só encontra em Cabo Verde, e então eu disse-lhe, está bem, Carneirinho, levanta lá a honra do teu país, vai tu namorar sozinho com ela. Mas ele recusou, também não queria prejudicar-me, justificou-se. Perfeito, disse-lhe, como ela nos quer a ambos, um de nós vai namorar e o outro fica a ver. Concordo, apressou-se ele a dizer, vai tu e eu fico a ver. Não, discordei, quem for mais velho namora e o outro observa.

Estava convencido de que ele era mais velho do que eu. Mas indicamos as datas de nascimento e, coincidência curiosa, mesmo dia, mesmo mês, mesmo ano. Que seja então a sorte a decidir, sentenciei, e fiquei com a cara da moeda e dei-lhe a cruz. Com uma pequena batota fiz com que ele ganhasse.

Diante daquela inesperada vitória, Carneirinho logo acendeu um charro tranqüilizador e pachorrentamente fumámo-lo a três enquanto Marta se sentava no seu colo e começava a desabotoar-lhe a camisa. Era um bom princípio! Depois passou o fumo da sua boca para a dele e aproveitou para o beijar com algum ardor. Mas mesmo assim via-se que ele não estava à vontade. Vamos dar-lhe tempo, pensei, e fui buscar cerveja para todos.

Um bocado depois a Marta arrastou-o para a cama. Enquanto caminhava para o quarto ele avisou, tu ficas onde estás sentado, só virás se a gente te chamar. Aceitei. Sabia que depois a Marta me contaria como tinha sido. Da sala comecei a ouvir pequenas gargalhadas entrecortadas de uuiss! como se estivessem a fazer cócegas um ao outro pelo que concluí que tudo estava correndo pelo melhor. Mas quando dali a pouco comecei a ouvir gemidos cada vez mais prolongados e acelerados misturados de grandes ranger da cama, achei que estava na hora de dar a minha colaboração ainda que visual e dirigi-me para o quarto.

Cheguei justamente no momento em que, por cima dele, Marta tentava abafar o frenético grito de ainda não, não te venhas ainda, quero mais, e pude ainda observar a expressão de vergonha do Carneirinho diante do seu incontido orgasmo enquanto ela, de costas para mim, continuava agitando-se sobre ele dizendo, quem te mandou acabar, não te disse que queria mais, estava tão bom... Mas acabou por se deixar cair sobre a cama e meteu a mão entre as pernas continuando a esfregar-se lascivamente e de olhos fechados.

Após um breve descanso Carneirinho levantou-se e andando atrapalhadamente como se estivesse cego dirigiu-se para a casa de banho. Ouvindo o arrastar dos seus passos, Marta abriu os olhos e vendo-me ali à porta sorriu para mim como que a convidar-me a juntar-me a ela na cama. Nessa altura eu já estava bem precisado porque sentia a minha pila já dorida de tesão e aos pulos dentro das calças. Assim não me fiz rogado. Despi-me e aproximei-me. Retirei-lhe a mão de entre as pernas e enterrei-me nela. Ela deu um suspiro fundo e grato e deu início a frenéticos movimentos, próprios de quem está a continuar um orgasmo interrompido ao mesmo tempo que dizia não quero que faças como ele, não te venhas tu também.

Era um aviso sério, mas por outro lado já me sentia quase a explodir-me dentro dela. Assim parei um pouco para me concentrar numa qualquer coisa que me fizesse distrair e foi quando vi o Carneirinho que vinha a sair da casa de banho. Eu estava de costas para ele mas pelo espelho vi como parou na ombreira da porta tentando fixar os seus olhos de míope na cena que se desenrolava à sua frente. Mas acabou por se decidir e foi procurar os óculos que havia deixado sobre a banca de cabeceira.

Não há nada como a conversa para distrair a gente nessas ocasiões, sei por experiência própria. Assim puxei o Carneirinho por um braço: Pára aqui e observa, disse-lhe, porque é bom que saibas que, para convenientemente dominares uma mulher na vida, tens primeiro que a escravizar na cama. Todas as posições servem para isso: por cima, por baixo, de lado, de costas, de gatas, sobretudo de gatas, de mãos no chão a quatro como daqui a pouco vais ver esta aqui, espetada como se estivesse a sofrer o suplício da empalação... E também no sofá ou na cadeira, tanto de frente para trás como de trás para a frente, tudo serve. No tapete então é que são elas porque lá ela não tem por baixo as molas do colchão para amaciar as tuas estocadas vigorosas. Mas também é importante que nunca te esqueças do sessenta-e-nove. O sessenta-e-nove está para o amor como o vinho branco está para uma boa refeição: bebe-se para abrir e bebe-se para fechar! Ela tem que sentir o gosto, é um objecto nas tuas sábias mãos e para teu exclusivo uso pessoal, mas lembra-te que só conseguirás essa *performance* se a souberes transformar numa puta, numa cadela em cio, numa gata ganindo desamparada num telhado, com todo o seu corpo frementemente alucinado, seja por cima, seja por baixo do teu, de boca aberta e olhos revirados abafando na almofada que consome às dentadas os gritos que insistem em escapar entre os seus dentes apertados como estás a ver esta aqui agora, apenas dependente de mim e do meu corpo de homem (disse-lhe assim desta forma eufemística).

Carneirinho continuava ali de olhos esbugalhados olhando para nós como que hipnotizado. Está a aprender, está a interiorizar tudo, pensei e então disse-lhe: Deixa-me agora ensinar-te a suprema técnica de as desequilibrar. É muito simples, é mesmo muito fácil e está ao alcance de qualquer um. Repara como estou com as duas mãos apoiadas sobre a cama e o tronco bem levantado. Então ficas completamente na borda, quase de fora, só com a ponta da cabeça dentro, em movimentos ritmados e muito vagarosos, muito lentos, muito calmos, sempre iguais, entrar apenas um pouquinho e sair logo, ficas assim como que a puxar e a acumular ali na boquinha toda a sua energia sexual ao mesmo tempo que vais observando como ela começa a abrir a boca também devagarinho e começa a sorver o ar assim devagarinho como esta está a fazer agora, e depois acaba por ficar de boca escancarada como estás a ver, igualzinha a uma égua, e a verdade é que diz quem sabe que nenhum animal é tão parecido com a mulher como a égua, mas repara como tem os olhos exorbitados numa expressão que muito faz lembrar o desespero, e quando a vês assim pronta e cheia como um balão prestes a explodir, então, tu, de repente, pum!, enterras até aos fundos de um golpe só, assim como estou a fazer agora, e ela gritará dessa forma lasciva como também estás a ouvir e então dás mais duas fortes estocadas e ela dá mais dois gritos e aí tiras a coisa de repente e ela então perde a cabeça, desequilibra-se totalmente, nessa altura deves sempre tomar muito cuidado para não teres nenhuma das tuas peças ao alcance dos seus dentes porque às vezes ferram-te como buldogues e não largam mesmo... Se quiseres, depois posso até mostrar-te algumas marcas que elas me têm deixado antes de começar a precaver-me, mas, dizia-te que então tu enganas-te de propósito a meter outra vez, não acertas no buraco, e então ela fica como se estivesse completamente aterrorizada, grita de autêntica dor, a dor de uma ausência, devem sentir-se de repente como que amputadas, vazias e loucas, e nervosa e freneticamente ferra-te a mão na coisa para a agarrar e prender e voltar a metê-la dentro como um náufrago que encontra uma bóia e empurra-se para ti e empurra-te para ela e pede-te que não tires agora, que não deixes sair, por favor não deixes que saia agora...

Carneirinho não havia se vestido completamente e de repente vi-o todo nu sobre a cama. Marta revirava os olhos num sorriso de suprema felicidade. Num gesto caricioso agarrou-lhe o mangalho e depois dobrou o corpo todo para o aproximar da boca. Mas com isso fiquei em má posição e acabei por desencavar-me dela. Como ela se tivesse deitado de costas para o chupar, ela acabou por ficar de gatas sobre a cama. Lembrei-me e aproximei-me para a tomar por trás, mas quando iniciei os movimentos de penetração ela contraiu-se e gemeu, lá não, lá dói, está a doer muito! Não dói nada, disse logo Carneirinho num gemido gostoso, podes meter que não dói nada. E como Marta continuasse insistindo que doía, que lá ela não queria, então pronto, desistia de tudo, Carneirinho disse-lhe tu és pateta, não sabes o que estás a perder. Pode doer um pouquinho ao princípio, mas depois é tão bom que compensa toda a dor. Mas ela manteve-se renitente e apenas já masturbava o Carneirinho mas sem o chupar. Vi que ele hesitava um pouco para tomar uma decisão. Mas acabou por dizer finalmente: Pronto, se ela não quer, paciência, então quero eu, mete em mim! E imediatamente levantou as pernas que colocou sobre os meus ombros. Na hora nem pensei no que isso poderia significar. Comecei por lhe enfiar o dedo **mindinho**, bem devagar e ele deu uma pequena gemida. Depois o dedo indicador e, mais tarde, o polegar. Depois, juntos, o **mindinho** e o anular. E como vi que a coisa ia bem, apenas ajeitei o mangalho e enterrei-lhe e ele suspirou deliciado: Melhor que caipirinha de caju, disse, muito melhor! Entretanto, a Marta levantava-se para se sentar sobre a boca dele. Que bom, gemeu ele, que bom.

Mas mesmo muitos anos depois, nunca aceitou confessar se o dizia dela ou de mim.

Veja você, estamos em 1450, em Algarve, Portugal, numa cidadezinha muito pequena.

(Antes que eu me esqueça: a Glorinha – com 40 anos. Estamos em 1991 – colocou dentadura. Em cima e embaixo. E eu posso te garantir que não existe nada mais broxante do que aqueles dentes no copo do criado-mudo. Acho que foi mesmo o final do nosso tumultuado casamento – um deles. Mas como é que eu ia deixar essa louca na rua com sífilis e sem dentes? Tenho lá eu culpa se ela não nasceu sem o **mindinho**? Acho que agora eu exagerei. Que ela me perdoe.)

Mas vamos ao que interessa. Ao Algarve. 1450.

Na única vez que visitei Portugal (jantamos muito bem, lembra?) você me levou para conhecer o Convento dos Capuchos. Nunca me esqueci daquele lugar. Agora, quase dez anos depois pesquisando na Internet sobre o **mindinho**, achei um conto de um português chamado Antonio de Góes e Vasconcellos.

O personagem era uma espécie de coroinha da paróquia da cidade. E, como o pároco era também o médico, era assistente dele também. A falta do **mindinho** não lhe fazia a menor falta na hora de levar a bandejinha das hóstias. E, muito menos ainda, ajudar na operação de uma catarata, por exemplo. Sim, já se operava catarata em Portugal no século XV. Pode pesquisar.

A procissão dos nus

Primeiro, algumas informações históricas sobre o que andava acontecendo – sexualmente falando – por lá, naquele tempo: uma peregrinação chamada Procissão dos Nus.

Diziam que, naquela época, a procissão acontecia em toda a Europa. Não sei, mas em Portugal era sagrado. Cinqüenta anos antes do descobrimento do Brasil, imagine.

Lá – em Portugal – a Procissão dos Nus existia desde 1423 (eu nem era nascido ainda), quando um tal de Vicente Martins, o Granjeador, fez voto de visitar todos os anos o sepulcro dos mártires de Marrocos, em Coimbra, com a mulher e os filhos, todos nus. Nunca ninguém me explicou o porquê.

Com o passar dos tempos, os vizinhos e os conhecidos foram se agregando, e aos poucos, muita gente. Tudo pelado. O mais incrível disso tudo é que a Procissão dos Nus era no auge do inverno, no dia 16 de janeiro de cada ano. E, no centro de Portugal, onde fica Coimbra, chega até a nevar, vez ou outra.

Os penitentes se reuniam no Convento de São Francisco da Ponte (onde eu era coroinha e assistente médico), se confessavam, comungavam e ouviam música cantada. Tudo pelado. E, pelados, formavam solene e impressionante cortejo, dirigindo-se ao Mosteiro de Santa Cruz, em Coimbra, onde estavam os ossos dos mártires.

Mas – é claro!!! – começaram a rolar tanta indecência, galhofa e riso e todo tipo de sacanagem, que foi proibida. Mas isso, só dois séculos depois, em 1641. Mas, durante 200 anos o português caía, digamos, na gandaia. Gente que nem era católico estava ali só pra ver mulher pelada. E claro – naquela época, principalmente – também as mulheres querendo ver homem ao vivo. Algo raríssimo, para elas. Tudo sob a bênção de Deus, e a Inquisição não havia ainda chegado a Portugal, felizmente.

Aquele dia do ano (16 de janeiro) passou a ser esperado – por mim e por todos os jovens – de pênis ereto, para não dizer de pau duro, se me permite a chula expressão. Pau duro e coração mole.

Havia umas pequenas regras. Uma: só podia participar depois dos 18 anos. Como eu nasci em 1432, havia acabado de concluir os meus 18 anos e ia, pela primeira vez, fazer aquele trajeto que demorava – a pé – mais ou menos uma semana. Uma semana de mulheres peladas. E noites, é claro.

Desde que eu vi, mesmo de longe, já com uns 12 anos, a procissão partir, fiquei esperando o meu dia. Até então, nunca havia visto uma mulher sem roupa. Imaginava, muito. Me masturbava com a esquerda que tinha mais dedos. Sim, não tive **mindinho** na direita.

Esperei seis onanísticos anos para ver a primeira mulher nua na minha frente, cara a cara. Lá, me chamavam de Minguinho. A primeira moça que eu olhei, devia ser um pouco mais velha do que eu, uns 20 anos, me recriminou:

– Minguinho... Deus está a ver!

– Se estiver, deve estar a gostar.

Ela gostou. Pelo menos, eu achei. Senti que ela viu, de soslaio, aquilo. Viu tudo, inclusive a falta do **mindinho**:

– Engraçada a sua mão, senhor. – E deu uma risadinha bem fraquinha. Mas que prometia.

Havia levado éter para passar no pulso e não cometer nenhuma ereção, que é o que todos faziam. Já havia chegado cheio de éter, lá da sacristia. Os mais velhos sabiam de tudo, nos orientavam. Sentia-se mais cheiro de éter na procissão do que de incenso.

Quando ela se virou para seguir, vi a parte de trás. Nunca poderia imaginar que bunda de mulher fosse tão bela, tão bem torneada, branca, lisa. E aquelas curvas? Reparou que a bunda é a parte do nosso corpo que tem mais curvas? Obcecado, ia seguindo aquelas curvas. Foi quando descobri as covinhas – covinhas, imagina! – lá no fim das costas, perto da primeira curva norte. Naquela idade eu poderia imaginar tudo, menos que mulher pudesse ter covinhas ali. Éter no pulso!

Comecei a reparar nas outras. Nem todas carregavam covinhas, principalmente as beatas gordas, bigodudas e cantantes. Muita gente, quando acabava o éter, usava do subterfúgio antiereção olhando para aquelas beatas gordas cantando em latim sem a menor, a menor possibilidade de ao menos uma covinha. Quem tinha, tinha covas imensas. Aquilo broxava mais que o éter.

Covinhas como a da Maria João – meia hora depois, eu já sabia não apenas o nome dela, mas até do pai e da mãe (família Alvares) –, covinhas e curvas como as dela eram poucas. A família trabalhava no campo, com cortiça. E esse negócio de ter nome de homem no meio do nome de mulher, sempre – e eu não sei por que – me excitou muito. Maria João! Por Deus! Pôr éter!

Pelo meus cálculos, ao início do anoitecer deveríamos estar passando por Sintra. E eu já sabia – de antemão – que o convento dos capuchos estaria deserto. Como é que eu sabia? Porque todos os capuchos estavam ali, nus, para acompanhar a procissão. E como é que eu sabia que eram capuchinhos, se estavam todos pelados? Simples. Eram todos muito brancos e com uma marca que denunciava, nos pés. Todos eles tinham a marca em forma de treliça nos pés, por causa da sandália (dita franciscana). Queimadura do sol. No mais, eram branquérrimos. Mas aqueles pés. Mas, voltemos às covinhas.

Assim que o sol começou a se pôr, eu fui me chegando mais para perto dela. Por trás. Até emparelhar.

– *In rebus ásperis et ténui spe, fortíssima quaeque consília tutíssima sunt.*

– O quê? O senhor estás a me assustar. Estava compenetrada noutra cousa.

Mas ficou curiosa, senti.

– O que significa isso em latim?

– Nas situações penosas e de pouca esperança, os projetos mais audazes são sempre os mais seguros.

Deu um sorrizinho, me olhou de baixo para cima (até os joelhos) e adiantou-se novamente. O que favoreceu mais uma vez a minha posição de observador atento das formas, curvas e o remexer dela. Lá longe o sol se pondo atrás das pequenas oliveiras. Os e as peladas começaram a acender tochas. Cânticos. Dentro de uma hora haveria a parada para a ceia.

Dois passos à frente e:

– *Pulcra múlier nuda erit quam purpurata púlchrior:* a mulher formosa será mais bela desnuda que vestida de púrpura.

– Estás a ser ousado, senhor. E eu não estou nada bem. Estou com as fezes soltas.

Era a hora do golpe. Ela colaborou, perguntando:

– Onde iria me aliviar?

– Disfarça e siga-me, jovem cachopa.

– Mas, onde me levarás?

– Aliviarei tuas dores.

E fui me afastando e – viva! – ela vinha a me seguir. Fui caminhando no meio dos carvalhos até o convento. Entramos.

– Conheço bem aqui. Já vim várias vezes visitá-los junto com o senhor pároco. Aqui há latrina com água corrente.

Ensinei-lhe o caminho e fui lá para fora, onde tem umas mesinhas de pedras com bancos de tijolos. Faltava o vinho, confesso.

Achei a adega. Duas taças. Confesso mais ainda que, quando ela também veio para o jardim, que um vinho facilitaria a abordagem. A tocha estava à altura dos seus seios. E eu havia deixado o éter com o Vasco, que andava se rastejando atrás de outra rapariga. Servi o vinho. Da Bairrada, muito bom. Bebemos em silêncio, nus com as tochas acesas.

– Vamos?

– Calma. Sente-se – eu disse –. Tenho uma idéia. Daqui até o acampamento são mais de cinco quilômetros. Tu vais querer se aliviares a cada meia hora. Não vais fazer outra coisa na noite a não ser andares no meio do mato. E defecares, é claro. Proponho que passemos a noite aqui. Tu fazes a hora que quiseres, demoras o tempo que for necessário. E lava-te.

Ela ficou me olhando e, vendo que eu não tirava o olho do seu seio direito, levemente mais empinadinho que o esquerdo, apagou sua tocha. E achou que o meu raciocínio estava certo. Partiríamos com o sol e nos encontraríamos novamente com a procissão.

– Fique aqui que vou procurar algumas ervas para te medicar.

Afinal, sou assistente do médico. E, como tal, comecei a falar:

– O ideal seria fígado de bode assado, mergulhado em vinagre forte e comido com acompanhamento de biscoitos.

– O problema é o bode – brincou ela. – Onde achar um bode agora?

– Ovos escalfados em vinagre, também fora de cogitação. Se bem que vinagre tem lá dentro. O problema são os ovos.

Estava a pensar em outras medicações quando me veio a brilhante idéia.

– Se eu conseguir por aqui folhas de barbasco, você estará salva.

E saí em busca de barbasco. Antes, mesmo que você não acredite, me deixe explicar. Cozinham-se as folhas de barbasco em vinagre. E depois submete-se o traseiro da infeliz com o vapor, enquanto se esfrega o estômago e o ventre com esterco de cabras, bem peneirado.

Achei barbasco! E tinha esterco. E, pelo formato, era de cabra, perfeito para massagear aquele ventre doentio.

Quando eu voltei, ela acendeu a tocha (havia ficado apenas com a luz do luar dando aquela cor de prata no seu corpo nu).

"Comi", pensei. Com vinho, fogo no rabo e massagem no ventre, vai ser covardia. Ah, covinhas, me aguardem.

Fui preparando a infusão e explicando para ela como iríamos proceder. Ela concordando com tudo. A gente rindo muito daquilo. Quase intimidade total.

É evidente que, assim que eu encostei nela, algo mais se avolumou no meu corpo. Impossível disfarçar, esconder. Estávamos ali, os dois, nus. Ela com a bunda no vapor e eu com o vapor no vosso ventre, Jesus!

Quando ela já estava bem melhor (e eu também), disse uma frase mais poderosa do que todo éter do mundo:

– Sei o que queres, mas convém aplacar teu fogo.

Ora, logo agora? Eu já estava a acariciar os seus besuntados seios com o esterco de cabra ralado.

– Tens medo da dor, criatura?

– Não, senhor. É que, antes de me fazeres perder a virgindade, tens que fazeres primeiro com minha irmã mais velha, que também é anja. É a tradição, sabeis disto! Faças primeiro com minha irmã Teresa. Depois vens a mim.

Tentei todos os recursos físicos e mentais. Antes, a Teresa. Não adiantava. Na manhã seguinte, voltamos para a procissão. Seu intestino estava novo. E ela me mostrou a irmã mais velha e igualmente virgem. Era uma das gordas de covinhas imensas.

– Quando chegarmos a Santarém, faças o serviço nela. Depois me procures, Pedro.

Eu também era virgem, não sei se já disse. A gorda ficou assanhadíssima ao saber do serviço que eu ia lhe prestar. Foi uma luta, uma dificuldade. É como se eu tivesse cheirado dois litros de éter.

Mas, por Maria João, valia o sacrifício. Devo confessar que a gordinha atuou com uma certa destreza. Mostrei o lenço ensangüentado para a Maria João.

E foi dentro de uma pequena capela que eu e Maria João fizemos amor. Depois nos casamos, pois ela ficou grávida. E os Álvares nos obrigaram ao enlace.

Tivemos vários filhos e fomos felizes por muitos e muitos anos. Mas nunca permiti que ela voltasse para a Procissão dos Nus. Mulher minha, não!

Ao nosso primeiro filho, o concebido na época do esterco de cabra, demos o nome de Cabral. Cabral Pedro Álvares que, desde pequenininho, gostava de brincar com barquinhos de papel e madeira.

segunda parte

Pesquisas do seu **Mindinho**

Desde que eu conheci o seu amigo (e escritor) Fernando Morais, naquela estada no spa, que temos nos correspondido. Ele ficou vivamente interessado no meu caso e chegou a conversar com um médico amigo numa segunda (ou quinta) desengordada lá no São Pedro. E não é que o cara tinha bode com o **mindinho** dele? Dá uma olhada no *e-mail* que o médico me mandou. Todo mundo vai achar que foi você (Mario Prata) quem escreveu o texto abaixo.

Mas é sério, gente!

(A dentadura da Glorinha não pára no lugar. Os pinos de baixo estão sempre se soltando. Em todo caso, mulher sem dentes tem suas vantagens. Bico de siri!)

A verdade sobre o dedo

Estou te mandando essas informações a pedido de Fernando (o Morais), que me falou, durante uma partida de sinuca, que você tinha problemas com o dedo mínimo.

Comentei com ele sobre os mindinhos dos homens da minha família que são ligeiramente tortos pra dentro. Me surpreendi com o espanto dele em saber que o jeitão do **mindinho** tinha um fundo genético.

É verdade. Se você colocar os dedos da gente (eu, meu pai, meu irmão, meu avô e alguns primos) um do lado do outro, só vai mudar a cor da pele e a sujeira da unha. O tamanho e a formatação são iguais. E o pior. Tudo torto.

Em anatomia, quando uma estrutura é torta com a concavidade pra dentro (pro eixo central do corpo), chamamos isso de varum. Quando a concavidade tá pra fora é valgo. Então, nós temos "valgo de dedo mínimo". Se é que isso existe.

A justificativa pra esse fenômeno natural (oh!) demanda o conhecimento do significado da palavra alelo em genética.

Foi um cara chamado Gregor Johann Mendel, em 1866, quem disse primeiro, em outras palavras, que a transmissão de caracteres de uma geração pra outra era feita pelos cromossomos através dos genes. Mais um à frente do seu tempo. Ninguém acreditou nele, na época.

É o seguinte. Cromossomo é um emaranhado de proteínas no núcleo das células, onde ficam os genes. Genes são uma fatiazinha de cada cromossomo que é responsável por uma determinada característica. Por exemplo, o gene da cor de uma planta fica num cromossomo qualquer de cada célula dessa planta. Agora, nesse gene pode haver um alelo (informação) pro amarelo, pro verde, pro vermelho etc. Ou seja, cada gene pode ter vários alelos.

Como a cor de uma planta, um alelo de determinado gene pode dizer, por exemplo, quanto um osso do corpo vai crescer. Então, nesse caso o gene é tamanho do osso e o alelo pode ser grande, pequeno, médio e por aí vai.

Essa conversa tá parecendo pré-vestibular, mas de qualquer forma vamos às comparações.

O dedo é um prédio. Os genes (genoma) e seus alelos são a planta do prédio.

Na planta vai ter a altura, a largura, a estrutura e a aparência desse prédio.

Se na planta disser, por exemplo, que o pé-direito (sem trocadilho) de um lado deve ser mais alto que o do outro lado, depois de alguns andares o prédio estará torto.

Acho que foi isso que aconteceu nos nossos **mindinhos**, que, coitados, devem sofrer de um grave complexo de inferioridade. Além de mínimos, tortos. É demais.

Curiosamente, a tortice do **mindinho** é uma das características da Trissomia 21, popularmente conhecida como Síndrome de Down. Mas... Não, acho que não.

De Rodrigo Azevedo (vulgo Dr. Agregado Cavalcanti), com muito carinho e respeito.

Estou completamente desempregado. A Glorinha tem segurado as pontas, fazendo banquetes pra fora. Isso tem duas vantagens. Primeiro que entra um dinheirinho e, em segundo, é claro que a gente come aquilo tudo que sobra. Se quiser chamar de roubo, pode. A Glorinha não é maravilhosa? Adoro essa mulher.

Outro dia, navegando pela Internet, achei um primeiro capítulo de uma novela de televisão. Seu autor, um tal de Campos de Morais, deve ser um tarado por bangue-bangue. A história dele se passa no velho Oeste americano. Mas lendo o primeiro capítulo, dá vontade de ler os outros. Só que eu não achei.

Bang-Bang[1]

by Campos de Morais

1º CAPÍTULO

CENA 01 / EXT / DIA / ALBUQUERQUE (RUA PRINCIPAL)

Tomada geral da única e principal rua de Albuquerque.[2] O barulho, o uivo do vento, gravetos rolam pela rua empoeirada.

CAM desfila pelos principais prédios da pequena e suada cidade: o Saloon **Mindyn & O**, o armazém, o ponto de chegada da diligência, o curral, a pensão etc.

Cai letreiro: ALBUQUERQUE

Outro letreiro: NOVO MÉXICO – ESTADOS UNIDOS

Outro: 1 8 8 1

Este último letreiro fica girando como a poeira da cidade, em torno dele mesmo. Em qualquer posição, ele será sempre 1881.

CAM continua a mostrar a cidade amanhecendo e vazia.

Vem andando o velho bêbado da cidade, o velho Oldeight[3] com a sua garrafa de uísque na mão e pela metade.

---

[1] Título original.

[2] Estamos em 1881, no velho Oeste americano.

[3] Velhinho bêbado, amigo de Charles, lugar-comum de bangue-bangue.

CAM o acompanha e passa em frente a casa/pensão de Adelaide e Adelaine que estão a postos na varanda, nas suas respectivas cadeiras de rodas, fumando os respectivos cachimbos.

ADELAINE[4] – Adelaide, a que horas vai ser o duelo?
ADELAIDE – Às dez em ponto, Adelaine.

Baforam.
ADELAINE – E a que horas chega a diligência com Joe Phiesp[5] ?
ADELAIDE – Às oito, criatura! Parece que não presta atenção na história! A diligência chega às oito, o duelo é às dez, certo?
ADELAINE – Certo!

As duas cospem pigarro.

CENA 02 / EXT / DIA / SON OF A BITCH CITY

Letreiro: Enquanto isso, não muito longe dali...

Escrito numa tabuleta de madeira: SON OF A BITCH CITY

---

4 São duas velhas irmãs, solteironas e virgens que mantêm uma espécie de pensão familiar na rua principal (e única) da cidade. Passam o dia inteiro em cadeiras, vendo o mundo passar lá fora e fofocando. Sabem tudo o que rola pela cidade. E, quando não sabem, simplesmente inventam. Quando não tem sobre quem falar, conversam entre elas, sobre sexo. São completamente ignorantes sobre o assunto e falam os mais hilários absurdos. Ficam imaginando como é que deve ser fazer sexo. Adelaide, um pouco mais velha, tem um velho caso de amor que sumiu da cidade há anos e que ela espera ainda rever. Chegará ele um dia à cidade? Uma é analfabeta e a outra não. Uma lê livros eróticos para a outra, que fica imaginando a cena. Formam um verdadeiro casal com direito a brigas e tudo.

5 50 anos, chefe dos bandidos. Vai transar com Penny Lane.

Como na cena anterior, tomada geral da cidade, ou melhor, do beco que é a cidade, onde se encrava o bar dos bandidos. Urubus passeiam pela rua.

CAM vai entrando no bar. Vários cavalos amarrados na porta.

CENA 03 / INT / DIA / BAR BITCH

Um velho relógio vai mostrar que são seis horas da manhã e o bar está em fim de noite. Pessoas caídas pelas mesas. Um velho piano tenta manter a nenhuma animação presente.

Numa mesa, Scott,[6] Cooper[7] e mais dois bandidos jogam pôquer. Um dos bandidos abaixa uma quadra de reis e vai pegando todo o dinheiro em cima da mesa (dólares). Scott, com a calma dos grandes bandidos, com o cano do seu revólver, faz com que ele recue a mão. As cartas de Scott ainda estão em cima da mesa, mas ninguém sabe o que ele tem. Clima. Ele coloca uma caixa de fósforos em pé, em cima das cinco cartas e, em cima da caixa de fósforos, deposita equilibradamente o seu charuto com uma cinza imensa. Todos desencostam da mesa. Qualquer movimento e a cinza cai. Scott se levanta. Tensão. Vai até o bar. Pega uma garrafa, dá um gole no gargalo, volta.

Baforada no charuto. Mostra o jogo. Quadra de ás. Scott pega toda a grana. Ele e Cooper se levantam e vão saindo.

[6] 40 anos, bandido um. Vai transar com Tuna Willians.

[7] Bandido, também. Vai transar com alguém.

CENA 04 / EXT / DIA / FRENTE BAR BITCH

Os dois saem. Olham os urubus. Enxotam os bichos que levantam vôo. Os dois sacam as armas e atiram para cima. Matam os dois urubus que caem lá de cima.

Scott sopra a fumaça e coloca o revólver no coldre com grande malabarismo.

SCOTT – Ok, Cooper, vamos buscar Joe Phiesp!
COOPER – Ok, Scott!

Montam em seus cavalos e partem a toda velocidade.

CENA 05 / EXT / DIA / ESTRADA DE TERRA

A diligência correndo pelas pradarias do Novo México. Várias tomadas. Dois condutores.

CENA 06 / EXT / DIA / DENTRO DA DILIGÊNCIA

Começa mostrando um par de mãos, cruzado. Dois mosquitos pousados neste par de mãos. Vem mais um e pousa em cima. Uma mão se desvencilha da outra, dá um pinote e pega os três mosquitos no ar.

É Joe Phiesp que abre a mão e mostra os três mosquitos mortos.

Na sua frente, Gógol[8] e Rush[9] olham admirados para ele. Joe assopra os mosquitos para fora da diligência. Recurva-se, puxa o

[8] Vendedor ambulante e malandro que é confundido com o inspetor geral e que vai dar o golpe em toda a cidade, deixando-a sem um tostão.

[9] 50 anos, criado de Gógol.

chapéu sobre a testa e puxa uma soneca. Ele tem uma cicatriz do lado direito do rosto.

CENA 07 / EXT / DIA / ESTRADA DE TERRA

A diligência, correndo, passa por uma placa:

ALBUQUERQUE
20 miles - W

CENA 08 / EXT / DIA / DESERTO

Calor horroroso. Penny Lane[10] vem caminhando com certa dificuldade arrastando uma cela, toda suja, porém muito bonita. Pega o cantil, caem as duas últimas gotas. A música dos Beatles está à toda. Ampara-se numa placa:

ALBUQUERQUE
3 miles - S

CENA 09 / EXT / DIA / ESTRADA DE TERRA

A diligência, a toda velocidade, passa por dois homens a cavalo.

São eles Ben Silver[11] e Pablo Stuart.[12] Muita poeira com a passagem do carro. Além do cavalos que montam, tem mais um que carrega uma estranha máquina de madeira marrom.

---

[10] Chega à cidade atrás de uma herança, 20 anos, meio *hippie*, a protagonista jovem da novela. Vai se ligar a Billy apenas para ficar próxima da família e da herança.

[11] Protagonista da novela. Fotógrafo profissional que ia passando pela cidade e ficou. 35 anos. Vai se apaixonar por Lady Madona e a domar, como fez Shakespeare com Cat (Ballou)arina! Também não gosta de armas. Pode ser que no meio da novela surja uma loira vindo do leste com um filho dele no colo, apenas para embalar a história.

[12] Chicano de 25 anos, servidor de Ben Silver, ajudante, amigo, confidente.

Passam pela placa:

ALBUQUERQUE
10 miles - N

BEN SILVER – Albuquerque... Vamos tomar um banho, uma boa refeição e continuamos.

PABLO – A mi, me gustaria mucho drumir tod el dia, señor Silver.

BEN SILVER – Estamos ainda muito longe do nosso destino, Pablo. Andiamos!

CENA 10 / EXT / DIA / RUA DE ALBUQUERQUE

Agora a cidade já está com algum movimento. Scott e Cooper entram na cidade à cavalo, bem marrudos. Se dirigem para perto do Saloon **Mindyn & O**.

Oldeight vê os dois se aproximando e entra correndo no Saloon.

CENA 11 / INT / DIA / SALOON

Mindyn[13] e Moreno estão dando um trato no velho e bom Saloon, depois de uma noitada. Entra Oldeight, correndo.

OLDEIGHT – O Scott e o Cooper já estão na cidade! Vieram esperar o Joe Phiesp!

MORENO – Carai!!!

Mindyn deixa cair um copo que se espatifa no chão.

[13] 50 anos, *barman* do Saloon. A tudo observa. Não dirá uma única palavra durante toda a novela. O que ela mais faz é retirar o enorme espelho que tem no bar, toda hora que ameaça ou tem briga por lá. Faz isso com o: Moreno, 30 anos, garçom do Saloon Mindyn & O. Mexicano.

CENA 11/A / EXT / DIA / FRENTE SALOON

Scott e Cooper estão amarrando os cavalos. Chega um mulatinho.

MULATINHO – Posso tomar conta, tio?

Scott e Cooper não dão atenção e entram no **Mindyn & O**.

CENA 11/B / INT / DIA/ SALOON

Os dois entram. Clima. Sentam-se. Olham no relógio grande. Marcando sete e pouco.

SCOTT – Uísque!!!

CENA 12 / EXT / DIA / FRENTE FAZENDA VERIDIANA

Tomada externa da fazenda.
CAM vai se aproximando da janela, como se entrasse nela.

CENA 13 / INT / DIA / QUARTO VERIDIANA

Veridiana[14] e Big Mother[15] dão banho em Will,[16] marido de Veridiana.

---

[14] 75 anos, sogra de Charles, Willians e Dong-Dong. Estes três genros se odeiam e a luta pela herança será digna de velho Oeste. O que ninguém sabe e só saberá no final é que o marido dela não morreu. Enterraram pedra. Eles fizeram esse plano da herança para fazer com que estes três genros vagabundos trabalhassem pelo menos uma vez na vida. Então, o que acontece é que quanto mais eles trabalham e mais ganham, mais ela rouba deles com a ajuda dos bandidos profissionais. Os genros começam a desconfiar um do outro, trazendo mais confusões para a narrativa. Logo eles que nunca se deram. É uma velha

VERIDIANA – Você não é mais o xerife, Will!...

WILL – Sou! Enquanto não chegar o novo xerife de Washington, ainda sou o xerife!

BIG MOTHER – Pois então deixa o novo xerife que está pra chegar acertar as contas com o Joe Phiesp e o bando dele.

WILL – Não, Big Mother. Joe Phiesp fugiu da cadeia e mandou um recado bem claro: vem acertar as contas comigo. Comigo e com o doutor Monroe. Afinal, fomos nós que mandamos ele para a penitenciária.

VERIDIANA – Mas isso é uma loucura!

Will levanta-se nu, é envolto por uma toalha.

WILL – Alguém disse que não é? O duelo está marcado. Ainda sou o xerife. E o doutor Monroe vai comigo.

CENA 14 / INT / DIA / QUARTO VERIDIANA

Agora ele já está vestido, colocando o cinturão com o revólver.

WILL – (olhando a arma) Depois disso sim, aí me aposento.

VERIDIANA – (grita para fora) Bob! Bob! Vem cá.

BIG MOTHER – Vão ser três contra dois, menino! Você não tem mais 30 anos. Olha só essa barriga.

---

muito engraçada. No fim os genros conseguem ganhar mais dinheiro trabalhando do que seria a herança. Este dinheiro, no final, será a salvação da cidade e da lavoura propriamente dita.

[15] Uma preta velha, sábia conselheira de Veridiana, que poderia ser interpretada pelo Grande Otelo. É ela quem arma os encontros com os bandidos, faz os planos dos furtos etc. Uma dupla muito engraçada

[16] 43, outro herdeiro, tem uma ferraria e cuida da chegada da diligência em frente da sua oficina. Casado com Tuna e pai de Jude (adotada). "Pai" de Penny Lane.

Will fica apalpando a barriga, se achando, efetivamente, gordo.
Entra Bob,[17] um mulatinho.

BOB – Chamou, tia?
VERIDIANA – Vai correndo avisar os idiotas dos meus genros. Quero todo mundo no Curral OK às dez em ponto, hein!

Bob sai correndo como entrou.

WILL – Quando mandei ele para as grades, eram quatro contra um. Dois fugiram: Scott e Cooper. Um morreu e ele foi preso. (Disse isso tudo alisando a arma prateada.)

CENA 15 / EXT / DIA / DESERTO

Bob correndo, passa por Penny Lane que já está com a língua de fora.
Ele passa, pára e volta. Fica olhando para ela.

BOB – Donde foi que você saiu? Como se chama?
PENNY LANE – Penny Lane!

CENA 16 / EXT / DIA / FRENTE FAZENDA MONROE

CAM dá uma geral na casa.

CENA 17 / INT / DIA / SALA MONROE

Monroe,[18] o Juiz, está colocando o cinturão com o revólver.

---

[17] Mulatinho de 10 anos, filho de Etelvine sabe-se lá com quem.
[18] Juiz, casado com Úrsula, pai de Stace.

URSULA[19] – Mas Walter, você não é xerife, nem nada!

WALTER – Sou homem, mulher! Quem foi que condenou o Joe Phiesp? Fui eu! Quem foi que ele desafiou para o duelo? Foi eu!

Entra Stace, com uma espingarda.

STACE[20] – Eu vou junto!

Walter sorri e vai até ele.

WALTER – (pega um copo de leite em cima da mesa e dá um bom gole) Meu filho, você nunca deu um tiro na sua vida. (pega a arma) Não vai ser agora. Você fica em casa.

URSULA – (quase chorando) Eu te peço, Walter. Não vá...

WALTER – Nasci aqui, esta é a minha cidade, a minha terra. Vocês são a minha família. Você nasceu aqui menino, nessa cidade, nessa fazenda.

Walter sai, os dois saem atrás.

---

[19] 50 anos, irmã do falecido, é quem cria Stace já que a mãe dele morreu de parto. Solteirona virgem, gosta de dar seus tirinhos. Bem cantada viraria uma bela sapatona. Fará uma total oposição à presença de Helen na sua fazenda. Dizem as más línguas que, na juventude, teria tido um caso com Dong-Dong. Será? Voltarão a se encontrar na velha cachoeira?

[20] 25 anos, herdeiro da segunda herança. Estudou no leste, é contra a violência, se veste como um almofadinha. É aquela personagem que, no final, vai aprender a atirar e matar o bandidão. Protagonista jovem da história. Vai se envolver sentimentalmente com a meio-irmã que, no final, se descobre que não era irmã nem pela metade. Amante de Lucy, namorada do médico Clark, que bebe bem. Depois que ele aprende a atirar, começa a aparecer pela cidade vestido como O CAVALEIRO NEGRO, com máscara e tudo. Quem será o Cavaleiro Negro por quem todos as donzelas suspiram e as casadas deliram, e que defende os fracos e oprimidos?

CENA 18 / EXT / DIA / FRENTE FAZENDA MONROE

Walter sai, os dois saem atrás. Stace insiste com a espingarda.

Walter monta.

Walter pega a espingarda do filho que chega perto. Walter fala apenas para o filho ouvir.

WALTER – Meu filho, se me acontecer alguma coisa, você vai ficar sabendo de uma... O testamento, entende? E, em relação a esta outra... você vai agir conforme as instruções. (Stace faz cara de quem não entendeu.) Mais tarde você vai entender!

Ursula chora na varanda.

Walter joga um beijo para ela e parte a galope.

Stace corre para o cavalo. Quer seguir o pai. Ursula o alcança.

URSULA – Não, meu filho, isso não é para você. Espero que o meu irmão saiba o que está fazendo.

Os dois se abraçam.

COMERCIAL COMERCIAL COMERCIAL COMERCIAL

CENA 19 / EXT / DIA / RUA DE ALBUQUERQUE

A diligência passa à toda pela cidade. Agora a cidade já está com mais movimento. Crianças e cachorros correm atrás da diligência.

Moreno e Oldeight correm para o **Mindyn & O**.

CENA 20 / EXT / DIA / FRENTE SALOON

Will e Walter chegando com seus cavalos. Apeiam.

MULATINHO – Quer que passe uma água, tio?

CENA 20/A / INT / DIA / SALOON

Scott e Cooper se levantam. Scott dá uma última virada no gargalo, sem perder a compostura. Cospe duas moedas em cima da mesa. Cooper cospe mais uma. Olham feio para Moreno, Mindyn e Oldeight e saem.

Quando estão chegando na portinha de vaivém, vêm entrando Will e Walter.

Mindyn e Moreno retiram o enorme espelho que ocupa toda a extensão do bar.

Clima. Apenas clima. Passam. Saem.

Olham no relógio: oito e meia da manhã.

OLDEIGHT – Será que o novo xerife não veio nessa diligência?

CENA 21 / EXT / DIA / PARADA DA DILIGÊNCIA

O primeiro a descer é Gógol. Depois desce Rush. Por fim desce Joe Phiesp. Oldeight vem se aproximando. Do outro lado vem chegando Scott e Cooper. Cooper pega a garrafa de Old, toma uma talagada, passa para Scott que faz o mesmo e joga-a para Joe Phiesp. Joe dá um trago, joga ela para cima e os três sacam ao mesmo tempo e atiram. A garrafa se espatifa.

Mães puxam crianças. Cães ladram. John Willians acompanhou toda a ação, com muita preocupação.

JOE – Tudo certo?
SCOTT E COOPER – Tudo certo, chefe!
SCOTT – Às dez no Curral OK.
JOE – (tira um relógio de pulso, confere) Pensei que essa carroça não fosse chegar nunca!

Os três se afastam. Old vai até Gógol e Rush.

OLD – O senhor que é o novo xerife?

Gógol olha para ele, olha para Rush, sorri para Old.

CENA 22 / EXT / DIA / RUA DE SON OF A BITCH CITY

Penny Lane vem chegando e entra no bar.

CENA 23 / INT / DI A/ BAR BITCH

Penny Lane entra, quase se arrastando, sedenta. Todos os maltrapilhos olham para ela. Vai até o balcão.

PENNY LANE – Uma água...

O sujeito serve. Ela vira o copo de uma vez.

PENNY LANE – Um uísque!

O sujeito serve. Ela vira de uma vez. Joga uma moeda no balcão. Está restabelecida. Sai. Dois rapazes saem atrás dela.

CENA 24 / EXT / DIA / RUA BITCH

Ela sai, os dois saem atrás dela e ficam assoviando. Ela saca um revólver, aponta para os dois e dá um tiro, acertando uma cordinha que segurava uma samambaia que cai na cabeça de um deles. Monta num cavalo que está por ali e se manda.

CENA 25 / EXT / DIA / RUA ALBUQUERQUE

Ben Silver, Pablo e os três cavalos entrando na cidade. Crianças curiosas com o objeto de tripé que um dos cavalos carrega.

CENA 26 / EXT / DIA / FAZENDA LADY MADONNA

Bob chega correndo e entra na casa da fazenda.

CENA 27 / INT / DIA / SALA LADY MADONNA

Estão Dong-Dong[21] e a filha Lady Madonna[22] tomando um farto café da manhã, quando entra Bob.

BOB – (ofegante) A tia mandou avisar que o tio vai duelar com aqueles bandidos de novo!...

MADONNA – Ó meu Deus, o vovô não tem mais condições de duelar com ninguém. Velho e barrigudo daquele jeito!

---

[21] O terceiro herdeiro, viúvo de uma das filhas do falecido, vive na fazenda com a jovem e forte filha Madonna. Lady Madonna. Bom jogador de pôquer. Desanimado da vida, vai entrar na luta pelos dólares para faturar tudo.

[22] A protagonista de mais idade. 30 anos. Uma autêntica mistura de Megera Domada com Cat Ballou. É ela quem vai tomar as providências para chamar os pistoleiros para salvar a cidade dos bandidos.

DONG-DONG – E você acha que alguém vai mudar a cabeça dele?

MADONNA – Mudar, não, mas ajudar eu posso.

DONG-DONG – Deixa isso pra lá. Madonna!

CENA 28 / INT / DIA / QUARTO MADONNA

Ela entra, pega o cinturão, coloca na cintura. Está de calça tipo Lee. Saca a arma diante do espelho com incrível velocidade. Dong-Dong chega na porta.

DONG-DONG – Minha filha, o seu avô sabe o que faz!

MADONNA – Se ele fosse o seu pai, você iria ajudar ele.

DONG-DONG – Nunca me dei bem com ele e não vai ser agora (ela sai correndo) ... Madonna! Madonna!...

CENA 29 / EXT / DIA / FRENTE FAZENDA MADONNA

Madonna e Bob saem juntos e sobem na carroça. Saem em disparada.

CENA 30 / EXT / DIA / ESTRADA DE TERRA

A carroça correndo e a música *Lady Madonna* em cima.

CENA 31 / EXT / DIA / FRENTE PENSÃO

Adelaide e Adelaine fumam o cachimbo e conversam.

ADELAIDE – Três genros ele tem. Pode ter certeza que nenhum deles vai ajudar. Vai morrer sozinho, Adelaine!

ADELAINE – Vira essa boca pra lá, Adelaide!

Chegam Gógol e Rush.

GÓGOL – Aqui que é a pensão Sister's?
ADELAIDE – Dez dólares incluindo refeição e banho. Quarto para dois, Adelaine.

Adelaine se levanta e faz sinal para os dois a seguirem.

CENA 32 / INT / DIA / SALA PENSÃO

Entram os três.

ADELAINE – É lá em cima.

Os três vão subindo a escada.

ADELAINE – É o novo Xerife? Chegou num bom dia!

Gógol olha para Rush e sorri. Pisca.

CENA 33 / EXT / DIA/ FRENTE PENSÃO

Penny Lane chega, vê a placa da pensão, desce do cavalo. Está imunda e cansada.

PENNY – Tem um quarto?
ADELAIDE – Onde está a sua família, menina? Isso é uma pensão familiar, distinta...
PENNY – A minha família? (desconversa) Pago adiantado!

ADELAIDE – (grita para dentro) Adelaine!

CENA 33/A / INT / DIA / FRENTE QUARTO PENNY LANE

Penny Lane e Adelaine, entrando no quarto que será de Penny.

CENA 34 / INT / DIA / SALOON

Entram Ben Silver e Pablo. Vão até o balcão. Will e Walter bebem.

BEN SILVER – Tem um quarto aqui, para nós dois?

MORENO – Como no, señor? Lo mejor te todo Nuevo México. E esto, lo que és?

PABLO – Esto es lo instrumento de trabajo de mi patrón.

MORENO – Vamos, adelante, que quero ver el duelo.

BEN SILVER – Duelo? Pablo, então deixe a Máquina aqui embaixo.

MORENO – Vamos a tener un gran duelo logo más. A las dez em punto.

Relógio do **Mindyn & O** mostrando nove e meia.

CAM vai para Will e Walter. Estão jogando baralho e tomando uísque nos copinhos. Suam. Estão tensos.

CENA 35 / EXT / DIA / PERTO DO CURRAL

Os três bandidos passam a garrafa de boca em boca. Joe tira e recoloca todas as balas. Scott e Cooper treinam sacar as armas. São bem ligeiros.

JOE – Estou preocupado. Hoje, na viagem, Tinham cinco mosquitos. Consegui pegar só três. A prisão me amorteceu um pouco os movimentos.

SCOTT – Mas com aqueles dois velhos, vai ser covardia.

MADONNA – (off) Dois velhos e uma moça.

Os três se viram.

MADONNA – É isso mesmo que vocês ouviram. Serão dois velhos e uma moça!

Os três ficam olhando para ela e começam a rir. Ela saca a arma, dá um tiro e arranca o chapéu de Scott. Cooper vai atirar nela, mas Joe o contém.

JOE – Mais tarde, Cooper! Mais tarde...

Madonna se afasta. Scott pega o chapéu e cospe no chão, puto da vida.

CENA 36 / INT / DIA / QUARTO GÓGOL

Gógol e Rush estão sem camisas, lavando o rosto na pia.

GÓGOL – Não me lembro o nome do autor, mas sei que era um escritor russo. Conta a história de um comerciante como eu que chega numa cidadezinha lá nos cafundós do Judas e é confundido com um alto funcionário da capital federal, um inspetor geral. E,quando ele percebe isso, resolve mesmo se passar pelo alto funcionário.

RUSH – E como é que termina essa história, Gógol?

GOL – Você paga pra ver?

RUSH – Não venha me dizer que você está pensando em fazer se passar pelo novo xerife.

GÓGOL – E por que não?

RUSH – Não vai dar certo!

GÓGOL – Claro que vai.

CENA 37 / INT / DIA / QUARTO PENNY LANE

Penny, ao som da sua música, se levanta de uma tina onde acabou de tomar o seu banho. Está limpa, cheirosa, maravilhosa, gostosa como nunca. Com os cabelos molhados descendo pelos seios. CAM vai mostrando o seu corpo até parar na coxa onde ela tem uma enorme cicatriz. Ela se enxuga.

CENA 38 / INT / DIA / SALOON

Pablo está limpando a enorme máquina de fotografar de Ben Silver. Junto com Moreno. Ben Silver, de banho tomado, vem descendo a escada. Está armado. Entra correndo Lady Madonna no Saloon, procura rapidamente seu avô e vai até ele. Ele se levanta ao vê-la se aproximar.

Ben Silver de olho nela e na ação.

WILL – Você não deveria estar aqui, Madonna!

MADONNA – Agora somos três contra três!

WALTER – Você ficou louca, menina?

Ben Silver prestando atenção na história.

MADONA – Atiro melhor que muito homem nessa cidade, vô!

WILL – Mas não como eles, profissionais. Moreno, acompanhe a minha neta até a fazenda!

MADONNA – Eu vim até aqui e vou duelar!

Ben Silver vai se aproximando.

WILL – Não vai e não quero discussão!
MADONNA – Só se me prenderem.
BEN SILVER – Não ouviu o seu avô, menina?

Madonna dá uma geral nele.

MADONNA – Quem é você?
BEN – Ben. Ben Silver!
MADONNA – Não se meta. Este é um assunto da nossa cidade. Mandamos esse sujeito para a cadeia e ele voltou. Pois agora vamos matar ele e seus amigos!
BEN – Um duelo não é um acontecimento assim tão simples.
MADONNA – O senhor, por favor, se retire, que isso aqui é assunto nosso.

Ben Silver dá uma caratezada na nuca dela, que desmaia.

BEN – Desculpem a violência, senhores. Mas acho que eu serei mais útil do que ela neste duelo!
WALTER – Mas... por quê?
BEN – Tenho os meus motivos!

Ben faz sinal para Pablo se aproximar.

BEN – Pablo, coloque a moça na minha cama e tranque a porta.

Pablo e Moreno saem carregando Lady Madonna.

Ben se certifica que o seu revólver está com todas as balas. Guarda a arma, cheio de malabarismos. Relógio marca nove e quarenta e cinco.

COMERCIAL COMERCIAL COMERCIAL COMERCIAL COMERCIAL

CENA 39 / INT / DIA / CONSULTÓRIO MÉDICO

Charles[23] está sentado no consultório, sozinho, olhando o tempo passar por uma ampulheta. Entra Billy,[24] seu jovem filho.

BILLY – Pai, a mãe pediu para o senhor ir imediatamente.

Charles apenas olha para Billy. Entra Oldeight.

OLD – E então, doutor?
CHARLES – Não tenho nada a ver com isso.

Entra Stella,[25] mulher de Charles, com uma espingarda na mão.

STELLA – E então?

---

[23] Médico, 45 anos. Um dos herdeiros da família de Penny. Casado com Stella e pai de Billy. Está em plena crise de envelhescência. É um envelhescente típico. Pode parecer incrível, mas tem um caso com uma gatinha de 21 anos, chamada Lucy. Aquela do *Lucy in the sky*, etc.

[24] Filho do casal, 23 anos. Transa com Penny Lane, contra a vontade de todos e contra todos. Sonha em ser um grande pistoleiro, um dia. Quer se enturmar com eles.

[25] A esposa, 40 anos. É a pessoa mais corajosa da cidade. Charles tem medo dela. É meio sapata, meio xerife, coisas deste tipo.

CHARLES – (pegando a garrafa de Old e dando um gole) Já disse que não tenho nada a ver com isso! Nada a ver com esse duelo maluco!

BILLY – Mas pai, é o meu avô! Pai da mamãe!

CHARLES – Pois é teimosia dele. Ele não tinha nada que se meter neste duelo. O novo xerife está pra chegar. Além do mais, ele não me atura. Não vejo porque ter que ir socorrer ele agora. Quando eu precisei dele, ele me ajudou?

STELLA – Mas ele vai morrer!

CHARLES – (pega a espingarda da mulher) E você também não vai ao curral!

Stella e Billy saem para a rua, irritados.

OLD – Vai deixar o sogro morrer sozinho, doutor Charles?

Charles se aproxima bem perto dele.

CHARLES – Você tem idéia, Oldeight, de quanto é a fortuna do velho? Qual é o valor da herança?

Old compreende.

CENA 40 / EXT / DIA / LOCAL DILIGÊNCIA

A diligência está se preparando para partir. John Willians falando alguma coisa com os condutores. Chegam, numa charrete, sua esposa Tuna Willians[26] e sua filha Jude.[27]

[26] Tem apenas 35 anos e uma filha de 20. Tem tudo para colocar chifres em William com qualquer dos pistoleiros que surgirão na cidade.

TUNA – Vai ficar aí parado, enquanto o meu pai vai ser morto por aqueles bandidos?

John pega Tuna pelo braço e se afasta de Jude.

JOHN – Quem é que vai matar o seu pai?
TUNA – Ele.
JOHN – Diga o nome dele.
TUNA – Joe...
JOHN – Joe, o quê?
TUNA – Joe Phiesp!
JOHN – E quem é que foi visitar o Joe Phiesp na delegacia antes dele ser mandado para a prisão do norte? (Ela não responde. Jude de longe, observa.) Hein?
TUNA – Eu... Foi um gesto humano!...
JOHN – Humano... Pois então a senhora vai lá agora pedir para ele não matar o seu pai, oras!

Chega Jude.

JUDE – Por favor, papai, não vamos brigar agora.
TUNA – Você me espera aqui, Jude.

Tuna monta na charrete e parte. Jude abraça o pai.

---

[27] Irmã gêmea de Penny Lane, 20 anos, lindinha também e não sabe que é adotada. Ninguém na cidade sabe. É que Tuna tinha inventado que estava grávida para se casar, mas não estava. Forjou uma gravidez e "teve" Jude. Só Penny Lane sabe e tem os documentos. Jude é a boazinha da novela e deve namorar um dos mocinhos.

CENA 41 / INT / DIA / PENSÃO

Gógol vem andando pelo corredor e ouve pequenos barulhos no quarto de Penny Lane. Mete o olho no buraco da fechadura.

CENA 42 / INT / DIA / QUARTO PENNY LANE

Visão pelo buraco da fechadura. Penny está de calcinhas, liga e colocando o corpete. Ela, sutilmente, percebe que está sendo buraqueada. Vira-se repentinamente com um balde de água e joga no buraco.

CENA 43 / INT / DIA / PENSÃO

Gógol se recuperando da água na cara. Penny Lane abre a porta, vestida como estava.

GÓGOL – Encantado. Nicolau Gógol!
PENNY – Penny! Penny Lane!

Ela bate a porta. Chega Rush.

RUSH – Algum problema, xerife?
GÓGOL – Essa cidade promete, Rush! Promete!

CENA 44 / EXT / DIA / LOCAL ONDE ESTÃO OS BANDIDOS

Joe percebe a charrete chegando. Pisca para os outros dois e vai até ela.

JOE – Acho melhor você ficar longe disso, Tuna.
TUNA – Ele é meu pai, Joe!

JOE – Eu sei... Mas foi ele que me prendeu. Foi ele que matou o meu irmão.

TUNA – Por favor, vá embora. Deixa a gente em paz! Por favor!

JOE – Eu vou embora às dez e cinco. Mas depois eu volto. Um dia eu volto para te buscar.

TUNA – Cachorro!

Tuna dá uma chicotada nele. Ele segura o chicote no ar, puxa e ela vem toda para ele. Ele a beija. Ela deixa um pouco e cai fora. Ele limpa os lábios. Ela mordeu o lábio dele. Sangrou um pouco. Ele cospe. Seus dois amigos, a uma certa distância, riem.

CENA 45 / INT / DIA / SALOON

Will e Walter se levantam, ajeitam as armas nos cinturões e vão saindo. Fazem um sinal para Ben Silver que tomava uma com Pablo.

BEN – (para Pablo) Leve a máquina e faça o maior número de poses possíveis.

PABLO – Pode deixar, chefe.

BEN – (para Moreno) E você, cuida bem da moça, lá em cima.

MORENO – Pode deixar, chefe!

Ben sai. Pablo o segue carregando a enorme máquina.

CENA 46 / EXT / DIA / CURRAL

Os três bandidos vêm andando, bem machões, bem filme bangue-bangue. CAM no rosto de Joe, na expressão fria dele. De repente ele começa a cheirar o ar. Desconfia que pisou num cocô de cachorro. Certifica-se, limpa o pé no chão.

CENA 47 / EXT / DIA / RUA

Will, Walter, Ben e Pablo vêm caminhando. Pablo um pouco mais atrás. Tuna e Stella correm até eles. Se abraçam.

WILL – Não quero vocês por lá. Fiquem em casa!
STELLA – Pai!...
WILL – É uma ordem, vamos! Pra casa! Isso aqui é um problema meu!

Tuna olha para Ben.

TUNA – E você? Quem é você?
BEN – Ben! Ben Silver!

Jude chega com Billy e puxa as respectivas mães. Eles continuam a caminhada. Lá no fundo, vemos o curral.

CENA 48 / INT / DIA / SALA MONROE

Stace pega a espingarda na parede. Ursula o segura.

STACE – Não posso deixar o meu pai lá, sozinho.
URSULA – Largue essa arma, menino. Você nunca deu um tiro na sua vida e não vai ser agora...
STACE – Sempre tem uma primeira vez.

Stace empurra a tia e sai correndo com a arma na mão. Ursula pega uma caixinha e corre atrás dele.

CENA 49 / EXT / DIA / FRENTE FAZENDA MONROE

Stace, já vai correndo a cavalo. Ursula chega na porta com a caixinha.

URSULA – (para ela mesma) As balas, meu filho... As balas...

CENA 50 / EXT / DIA/ CURRAL

De um lado os três bandidos. Do outro, Will, Walter e Ben. Ao lado, Pablo ajeita a máquina fotográfica. Ninguém ali sabe direito o que é aquilo e não dão a menor bola. Gógol e Rush vêm chegando. Do outro lado está Penny Lane. Bob está escondido atrás de uns cavalos, junto com Litle Big,[28] um índio de 20 anos, bonitinho. Adelaide e Adelaine vêm chegando. Ao fundo, uma pequena multidão de curiosos.

CENA 51 / INT / DIA / QUARTO BEN SILVER

Lady Madonna, tentando arrebentar a porta e sair.

CENA 52 / EXT / DIA / CURRAL

JOE – Muito bem, senhor xerife e senhor juiz. Aqui estou eu de volta. Infelizmente meu irmão não pode estar aqui hoje. Mas lá do alto ele está assistindo e torcendo. Eu disse que voltaria.

WILL – Vamos lhe dar uma chance, Joe. Pegue a sua turma e volte para Son of a Bitch City. Esqueça Albuquerque!

[28] Litle Big – Jovem e bonito índio de 20 anos, criado por Dong-Dong. Namorado de Jude apesar da família dela não aceitar. Afinal, ele é um índio. Pobre, porém digno. Mais novela que isso, impossível.

Chegam John, Charles e Dong-Dong.

JOE – Impossível!

WILL – Está bem.

JOE – Não gosto de matar desconhecidos! Quem tenho a honra?

BEN – Ben! Ben Silver, Joe!

Uma certa reação de Joe.

JOE – Ben Silver?

Os três bandidos se entreolham.

BEN – Sim! Ben! Ben Silver!

Scott e Penny Lane trocam olhares. Ela sorri para ele. Pablo bate uma foto. Todo mundo se assusta. Dá aquela explosão.

JOE – Que truque é este?

BEN – Fogos de artifício. Para comemorar, para fazer um brinde.

JOE – OK. Vocês são da casa. Podem sacar. Dou essa chance.

CENA 53 / EXT / DIA / FRENTE SALOON

Lá em cima, do **Mindyn & O**, a janela se abre e Lady Madonna pula para a sacada com uma espingarda na mão. Lady Madona mira, lá de longe e atira.

CENA 54 / EXT / DIA / CURRAL

O tiro bate numa pedra, ricocheteia, assusta os cavalos do curral, os seis sacam as armas e começa um grande tiroteio. A máquina de Pablo dispara mais uma vez. Uma nuvem de fumaça envolve o local. Não sabemos quem morreu ou quem viveu.

CENA 55 / EXT / DIA / FRENTE SALOON

Moreno, de longe, a tudo assistia.

MORENO – Carai!!!

final do primeiro capítulo

Isto também é da Internet. São cartas de leitores para o jornal *Expresso*, de Lisboa. Até lá, fui achar um **mindinho**. Hoje vou fazer uma biópsia do estômago. Ando cismado. Umas dores, umas pontadas. Emagrecendo muito. Sem a Glorinha em casa, fica cada vez mais difícil. Saudades dela, cara. Uma saudade de um amor de trinta anos. Sei que você achou a minha última frase um horror. É que ela me lembra o J.G. de Araújo Jorge.

Cartas ao jornal *Expresso*, de Portugal

Neste espaço pode deixar os seus comentários e sugestões relativos à edição Nº1405 do *Expresso*. Certamente serão úteis para melhorar as próximas edições. Obrigado.

■

O Portugal tradicional vai desaparecendo aos pedacinhos... Fadistas há muitos e bons, mas Amália havia só uma.

É preciso dar o seu nome a uma grande obra, para que não a esqueçamos. Uma avenida, um parque, sei lá, mas isso não seria o suficiente.

Proponho que se dê o cognome Amália Rodrigues ao aeroporto da Portela de Sacavém ou, no caso de ser mesmo construído um novo aeroporto na Ota, que esse seja chamado logo desde o início Aeroporto Internacional Amália Rodrigues. Isto comemoraria o facto de que foi do aeroporto de Lisboa que ela partiu tantas vezes para levar o fado aos sete cantos do mundo.

Para a primeira instância, existe por exemplo o precedente relativo ao Galeão do Rio de Janeiro, que recentemente foi baptizado Antônio Carlos Jobim; ele foi um grande músico, mas nem sequer tão grande em relação ao Rio ou ao Brasil como Amália a Portugal.

Estou a imaginar o que ela diria: "Então vocês vão pôr o meu nome a um aeroporto, quando sabem que eu não gostava muito de andar de avião? Bom, vá lá, já que insistem, porque eu até gosto assim duma boa piada... E, se calhar, também vão lá meter uma estátua minha no hall de entrada? Desde que fique de xaile e com uma rosa na mão..."

E sugiro que o nome fique escrito em grandes letras iluminadas, tanto no lado terra, da entrada, como do lado ar, onde atracam os aviões, para os portugueses e os estrangeiros se lembrarem de quem foi a Amália tanto quando partem como quando chegam.

Quanto à parte técnica, relativa aos códigos IATA e ICAO, no caso de ser o da Portela, os códigos não seriam alterados. No caso do local da Ota, o código de quatro letras seria LPAR (Europa do Sudoeste, Portugal, Amália Rodrigues), e o código de três letras LAR (Lisboa - Amália Rodrigues); embora este já esteja em uso num pequeno aeródromo no estado americano de Wyoming, creio tal ser permitido devido a não haver possibilidade de ambigüidade nas respectivas rotas.

— Paulo Sousa

■

Vai para mais de sês décadas abalê do mê Alentejo pra vir como servênte de obras pra Lisbôa. Ganhê tanto calo e dêdos grossos que pra escrevêr nesta maquinêta do mê neto só acertândo com o **mindinho**, mas valê a pêna os 420 escudos que gastê comprândo este *Expresso* (em vez de maço e mêo de tabaco). Tênho a agradecêr ao Seu Director a explicação no Editorial que o viaduto onde andê amassândo cimênto é muito mais importânte do que eu tava pênsândo e afinal se chama Aqueduto das Águas Livres (e eu julgândo que era para passarêm carros lá por cima!). A mim, naquêle têmpo, se tivesse asnêrado desta manêra, cortavam-me na côdea de pão e chamavam-me analfabeto. Quanto vale ser Doutôr, ou Arquitecto.

E com esta me vôu, desejândo que nâ se engânem nas pôntes do Vale de Alcântara.

— Compadre Alentejâno

A Glorinha morreu ontem. Foi um dia difícil. Mas foi melhor: ela vinha sofrendo muito. O negócio já tinha avançado pelo corpo todo. Hoje é o primeiro dia sem ela aqui em casa. Onde é que ela guardava os palitos?, meu Deus do céu! Estou com um troço encravado lá atrás, que tá foda! Não acho nada, cara. Pensando em mudar para outra casa. Assumir o Fabrício. Hoje pensei nele o dia inteiro. Mas vamos ao conteúdo do envelope de hoje (preciso me distrair).

É difícil viver sem alguém te enchendo o saco.

Que ela não me ouça. São coisas do amor, ela sabe. Vamos lá. Não é só aqui no Brasil que as pessoas dão trabalho em vôos. Veja isso que saiu no jornal *Expresso*, de Portugal, que é parte de um texto da jornalista Telma Miguel.

A fúria aérea portuguesa

Desde maio de 1999 até ao princípio de abril deste ano foram reportados 352 casos de altercações nos aviões da TAP. Em 39 desses casos considerou-se que o comportamento dos passageiros foi claramente desordeiro. Durante o ano de 1999 foram detectados 271 passageiros a fumar nas casas de banho, o que já era expressamente proibido mesmo antes de a companhia ter aderido à onda proibicionista. Em dois vôos houve inclusive princípios de incêndio a bordo.

Recentemente, num vôo com origem na ilha do Sal, em Cabo Verde e destino Lisboa, os passageiros foram confrontados com uma cena insólita. Uma mulher recusou mudar de lugar, embora estivesse sentada em cima de uma enorme mancha de aguardente vertida de uma garrafa da bagageira. A mulher não só não aceitou outra cadeira indicada pela assistente de bordo como aproximava provocatoriamente um cigarro aceso dos estofos encharcados, sustentando que não se incendiavam. Acabou por adormecer queimando o próprio cabelo com o cigarro que lhe ficara nos dedos. Quando a assistente de bordo, que lhe vigiava os gestos, tentou tirar-lhe o cigarro, a mulher agrediu-a e arranhou-a. O facto de à data dos acontecimentos (antes de 26 de março) ainda ser permitido fumar em grande parte dos vôos de longo curso da TAP não retira gravidade ao incidente.

Num avião da Namibian Airlines, um jornalista, director da revista "Todo Terreno" foi, em dezembro, vítima de um incidente que o deixará para o resto da vida incapaz de utilizar convenientemente a mão direita. Depois de um safári de 11 dias na Namíbia, o jornalista, que mede mais de 1,90m, encontrava-se exausto, pelo que pediu no "check-in" que lhe reservassem os três assentos contíguos ao seu para poder dormir durante as 12 horas de vôo até Frankfurt. Um alemão irado desatou a pontapeá-lo e, quando o português se tentou defender levantando a mão de debaixo dos cobertores, foi ainda pior. O alemão apertou-lhe os dedos com tal violência que lhe esmagou a falanginha do dedo **mindinho**. Este caso, embora não se tenha passado numa companhia portuguesa, mostra bem até onde pode ir a "fúria aérea".

Tem gente por aí que acha que a falta do dedo **mindinho** não altera em nada a nossa vida.

Esta notícia saiu nos periódicos. Veja a que ponto chega a ignorância do brasileiro. Um juiz, cara, um juiz!, dizendo tanta barbaridade. Fiquei revoltado com essa história.

A minha biópsia chegou e eu ainda não tive coragem de abrir o envelope.

Murro

O que nunca ninguém disse ou pensou na vida, um juiz teve a coragem de afirmar, é que o dedo **mindinho** é de "muito pouca utilidade para a mão, é um apêndice que tende a desaparecer com a evolução da espécie humana".

Teve a cara de pau de escrever isso numa sentença na qual nega o pedido de auxílio-salário a um metalúrgico que perdeu o **mindinho** num acidente de trabalho.

Indagado a respeito, o pugilista Maguila disse:

– Tente dar um murro em alguém fechando a mão sem o **mindinho**. O murro fica fraquinho. Agora feche a mão com o **mindinho**. Sentiu a diferença?

Quantos e quantos gestos nós não fazemos com os dedos das mãos, não é mesmo? Na Internet (mais uma vez) a Glorinha encontrou umas explicações bem interessantes.

Felizmente a falta do **mindinho** não me impede de fazer nenhum gesto. A não ser esta novidade aí de levantar o dedão e o **mindinho**. Coisa de alguma turma de viado, né? Mas também é para dizer que o cara é corno.

O texto abaixo – tirado da Internet – é de um jovem português chamado Luis Filipe Freitas de Sousa. E é muito bem escrito.

Gestos com os dedos

Fazer figas
Este gesto nasceu no Brasil e representa, tal como para nós, um desejo de boa sorte, este gesto tornou-se até um amuleto contra o "mau-olhado". Porém, na maioria de outros países, este gesto é um símbolo de altos teores sexuais, especialmente ofensivo na Turquia, Romênia, Costa Rica, Guatemala e Honduras. Já na

Bulgária, Rússia, Polônia e Iugoslávia, equivale a dar uma resposta negativa: "Não tens nenhuma chance."

Dedos em V

Este gesto foi consagrado por Winston Churchill após a vitória na Segunda Guerra Mundial. E foi transformado pelos *hippies* num emblema de Paz e Amor. É fundamental que a palma da mão esteja virada para fora. Se estiver para dentro, os escoceses, irlandeses, ingleses e australianos vão entender o gesto como um "vai-te F#$%&". O presidente americano George Bush I, em visita à Austrália, cometeu essa gafe. No dia seguinte a foto foi utilizada comicamente em todos os jornais do país.

Pedir carona

Este gesto, com o polegar erguido, movendo o braço para cima e para baixo, significa que se está a pedir boleia. Mas pode criar alguns problemas na Turquia, Grécia, Sardenha, Gana e Nigéria, pois costuma ser interpretado como um convite para um encontro homossexual.

Juntar os indicadores

Juntar os indicadores das duas mãos, algo que fazemos para dizer que duas pessoas são muito próximas e costumam agir em intimidade ou cumplicidade. No Egipto, porém, o significado é bem diferente: vale como uma proposta sexual muito directa.

Chifres

O punho fechado com o indicador e o **mindinho** formando um par de chifres é uma tradição dos países latinos para se referirem à infidelidade conjugal. A excepção é a Venezuela, onde representa boa sorte. Em concertos de *heavy metal*, o mesmo gesto tornou-se um sinal de exultação satânica, enquanto que na Iugoslávia tornou-se um insulto grosseiro.

O gesto brasileiro e o mal-entendido

Vamos, em primeiro lugar, examinar os "emblemas" brasileiros. O estalar de dedos com o dedo médio escorregando da ponta do polegar para baixo, empregado por alguns brasileiros, e que serve para chamar o garçom num restaurante, por exemplo, acompanhado ou não de "psiu-psiu", pode dar a impressão de desprezo, tanto no Japão como nos Estados Unidos.

No Brasil, há um outro gesto que fazemos com os dedos da mão bem juntinhos, tocando a parte de baixo do queixo, como se o estivéssemos cortando. Ele quer dizer "Estou por aqui, ó!", isto é, que se está saturado com alguma coisa. No Japão, isto significa que alguém vai ser despedido do trabalho. Se você é chefe de um japonês, é bom pensar duas vezes antes de fazer esse gesto.

Dedo **mindinho** da mão levantado e os outros dedos dobrados juntos à palma da mão representam, no Brasil, uma pessoa magra. Mas, no Japão, esse gesto significa "amante". Se um brasileiro for ao Japão e encontrar alguma mulher magra, é bom ele não levantar o **mindinho** para dizer que ela é esbelta, pois esta poderá ser mal interpretada e prejudicada. Em casos extremos, isso pode chegar a ser motivo de briga em família.

Hoje — cinco anos depois de casado — eu descobri uma faceta da Glorinha. Com a incompatibilidade nata e inata dos nossos **mindinhos**, ela vem procurando ter um defeito físico (ou moral) para se equiparar a mim. Não, isso não é uma competição. É amor mesmo. Ela me adora, cara. Só mesmo ela e a mamãe para agüentar um desdedado como eu. Outro dia a Glorinha apareceu com o pé engessado. Fiz que não desconfiei. Ela faz um certo teatrinho. Mas é péssima atriz.

Veja agora minha amiga e leitora: a importância do **mindinho** no teatro. A mão, o movimento são importantes. Lembra quando nós fomos ver a Irene Ravache aí em São Paulo (a Glorinha odiou, eu amei)? Eu, da platéia, fiquei impressionado como era grande a mão dela. Depois você me levou no camarim e eu levei um susto. A mão dela é pequena. Cresce no palco.

Sinta a importância do menosprezado dedo nas direções teatrais do Ziembinski, um sujeito que descobriu o Nelson Rodrigues e, com ele, o novo teatro brasileiro. E era polonês! Chegamos a vê-lo no palco (eu e a Glorinha) na nossa lua-de-mel no Copacabana Palace. Bons tempos... A declaração abaixo é a prova que um sujeito sem **mindinho** não pode ser nem ator.

Zimba

Sobre ele, disse o mestre Paulo Autran:

– Ensaiava até a exaustão e, enquanto nada ficasse como queria, ninguém ousava ir embora. Até o dedo **mindinho** tinha que ficar na posição que ele mandava.

Olha até onde foi a minha obsessão com o dedo. Fui descobrir até como é **mindinho** em esperanto. Lembra quando a gente estava no ginásio e pintou esse papo de esperanto? Que o mundo todo ia falar a mesma língua? E nós tentando convencer os padres que então não era preciso ter mais aulas de latim, espanhol, inglês e francês?

Cheguei até mesmo a dar aulas de esperanto, numa fase de progressiva picaretagem. Pois aqui vai o **mindinho** em várias línguas. Do esperanto ao japonês.

Esperanto

– Et/fingr/o = La plej malgranda fingro de la mano, la plej malproksima de la dikfingro.

Estados Unidos – little finger
Finlândia – pikkusormi, pikkurilli
França – auriculaire, petit doigt

Alemanha – der kleine finger
Holanda – zeret
Hungria – kisujj
Itália – mignolo
Japão – kojubi
Portugal – **mindinho**, mínimo, minguinho
Rússia – mizinec
Suécia – lillfinger

Este *site* www.bpiropo.com tem coisas geniais escritas pelo Piropo. Vai aqui uma mostra. A Glorinha vive entrando nele. No *site*, não no Piropo! O texto é de B. Piropo.

Com os *bytes* nas mãos

Espalme sua mão direita em frente a você, como quem está fazendo um sinal de "pare". Lá estão eles: à direita, o dedo **mindinho**. Depois, seu-vizinho, maior-de-todos, fura-bolos e cata-piolho. Não vou perguntar "cadê o queijo que estava aqui?". Essa já está muito manjada. Pergunto outra coisa. E responda depressa: começando de zero, e subindo de um em um, qual a maior quantidade que pode ser expressa com os cinco dedos que lá estão?

Cinco? Ora, meu amigo, um pouco mais de imaginação! Onze mil cento e onze? Não vale: como você faria para representar o onze mil cento e nove, por exemplo? Desde zero até lá, lembra?

Bem, mas a idéia do onze mil cento e onze não é má. Como ela funciona? Fácil: o **mindinho** vale um, seu-vizinho dez, maior-de-todos cem, fura-bolos mil e cata-piolho dez mil. Some todos esses, e *voilà*. Cada dedo vale por sua posição na mão, a idéia básica dos sistemas numéricos posicionais. E o valor de cada posição é igual ao da anterior multiplicado por dez. Não tinha reparado? Pois o **mindinho** está na posição zero, e vale um. Seu-vizinho, na posição um, vale 10 x 1 =10. Maior-de-todos, na posição dois, 10 x 10 = 100. E assim por diante. Esse é o sistema decimal, ou de "base dez". O problema é que com somente os cinco dedos eu não posso representar, por exemplo, 12, usando essa convenção.

E se eu fizer a mesma coisa, mas com uma convenção parecida? Como? Vejamos: um dedo levantado vale um. Abaixado, zero. E o valor de cada dedo passa a ser igual a dois multiplicado pelo do anterior. Vamos ver como é que fica: **mindinho**, um. Seu-vizinho, 2 x 1 = 2. Maior-de-todos, 2 x 2 = 4. Fura-bolos: 2 x 4 = 8. E o cata-piolho, lá no final, vai valer 16, como você já deve ter percebido.

Como é que se representa 12? Fácil: levante o maior-de-todos e o fura-bolos. Quanto valem? Maior-de-todos, quatro. Fura-bolos, oito. Os outros, abaixados, valem zero. Soma: 12. Não disse que era fácil? E paz e amor para você também.

E desta forma, combinando dedos abaixados e levantados, podemos representar continuamente todos os inteiros, desde zero até o máximo de cinco dedos levantados. Que um micreiro esperto como você já descobriu que vale 31, a resposta daquela pergunta lá de cima. Simpático, não? Pois acabamos de reinventar o sistema binário, ou sistema numérico de base dois. E um sistema, literalmente, digital.

A Glorinha – bico de siri, hein! – agora deu para chupar o meu fiofó. Sabe que é bom? Aconselho.

E esta torre, nos Estados Unidos, que se chama **Mindinho**?

Aliás, você já aprendeu inglês? Se não, peça para alguém te traduzir, porque é interessante.

mindinho-le-Tower, Newmarket, Suffolk

Descrição: The ten bells and the peals rung at "**Mindinho**-le-Tower Campanile" in Newmarket.

The name "**Mindinho**" was one of the earlier designations from which the name of the village of Mildenhall, Wiltshire is derived (and where the PRICEs used to ring). It therefore seemed an apposite name as the belfry floor of this custom-built Campanile is over a metre below ground level to provide sufficient rope-draught for the ring of 10 small bells which it contains – the details of which are listed below.

My grateful thanks are due to Matthew Higby of Chilcompton, Somerset, who assisted Richard Bowditch of Dulcote, Somerset in the founding process, tuned the bells and also engineered the counter-balanced clapper assemblies. The headstocks, gudgeons and bearings were fabricated by Roger Palmer of Fordham, Cambridgeshire, to specifications supplied by Frank Price of Newmarket, Suffolk, who also designed and constructed the wheels, pulley blocks, frame and campanile structure (ably assisted by others). The ceiling bosses were turned by Adrian Blumfield of Brockley, Suffolk and the pulley-block pins supplied by Tony Mann of Narborough, Leicestershire. The ropes were manufactured and supplied by Peter Minchin of Bishop's Frome, Herefordshire. Project guidance and specific assistance on clappering was given by Tom Chapman of Marston Bigot, Frome, Somerset.

Deu na *Veja* de 20 de março de 1996. Aqui vai uma parte do texto.

O cérebro musical. Só isto me resta agora. Aqui, deitado, ouvindo música e brincando com o meu cérebro musical. Já que o não-**mindinho** me impedia de tocar para a Glorinha quando eu finalmente descobri que ela era e ainda é a mulher da minha vida. Me diz: você se casaria com uma mulher sem o **mindinho**? Se fosse outro dedo, tudo bem. Mas o **mindinho** é fundamental. O **mindinho** é o charme da mão, do corpo, do amor.

O cérebro musical

O que se sabe: é penoso aprender a tocar um instrumento depois dos 10 anos de vida. As áreas do cérebro dedicadas ao movimento dos dedos da mão esquerda são maiores entre instrumentistas destros de cordas do que entre não-músicos. Crianças na idade pré-escolar quando submetidas a aulas de música aprimoram o raciocínio lógico e matemático. As porções cerebrais responsáveis pela música e pela matemática estão próximas.

Como desenvolver: cantar junto com a criança e jogar com a musicalidade das palavras são estímulos simples mas potentes. Colocar um CD no aparelho de som, enquanto a criança brinca, também. Se ela apresentar aptidão musical, é bom incentivá-la o quanto antes.

Ao nascer, um bebê é capaz de ouvir e identificar as nuances entre fonemas de todas as línguas. Entre o sétimo e o décimo mês de vida, porém, os sons articulados pela criança já correspondem a fonemas da língua materna. Com um ano de vida, a criança perdeu muito a capacidade de identificar sons diferentes dos de sua língua nativa, diz o neurologista Luiz Celso Vilanova. Os bebês ficam como que surdos para sons ausentes de sua língua familiar. Na medida em que os circuitos neurais vão-se ligando, para, por exemplo, a língua portuguesa, a criança tem menos facilidade de identificar fonemas característicos de outras línguas.

A pesquisadora americana Patricia Kuhl, da Universidade de Washington, encontra assim a explicação para a dificuldade de se adquirir uma segunda língua sobretudo após os 10 anos de idade. Aprender, aprende, afirma Erasmo Casella, neurologista infantil do Hospital das Clínicas de São Paulo. Mas sempre com sotaque. Até o terceiro ano de idade, afirma o doutor Muszkat, a facilidade na aquisição de línguas estrangeiras é até quatro vezes maior do que entre os adultos. Não é à toa que o ensino de inglês para bebês de um ano tornou-se relativamente comum entre famílias abastadas. As mães não precisam mais pegar-se em dúvidas sobre colocar a meninada em escolas onde a tia virou *teacher*. Cientificamente, portanto, está provado: é mais fácil começar a aprender um idioma estrangeiro na primeira infância.

A música é um dos estímulos mais potentes para ativar os circuitos do cérebro. A janela de oportunidades musical abre-se aos 3 e fecha-se aos 10 anos. Não por acaso, conhecem-se tão poucos concertistas que se tenham iniciado no aprendizado musical depois de iniciada a adolescência. Em outubro de 1995, pesquisadores da Universidade de Konstanz, na Alemanha, estudaram o cérebro de nove músicos destros, do naipe das cordas de uma orquestra local. Graças ao exame de ressonância nuclear magnética, perceberam que as porções cerebrais relacionadas aos movimentos do polegar e do dedo **mindinho** da mão esquerda eram maiores entre os músicos do que entre os não-músicos. Nessa diferença, não importava a quantidade de horas dedicadas ao estudo musical, e sim, em que idade eles haviam sido apresentados aos instrumentos – sempre cedo.

Uma das minhas frustrações, por causa do dedo, é a parte musical. Nunca pude tocar nenhum instrumento. O berimbau, por exemplo, que tem um som maravilhoso, você não consegue tirar nada dele, sem o **mindinho**. www.saturn.spaceports.com. Tá lá.

Comecei a me interessar mesmo por música quando o exame de câncer da Glorinha deu positivo. Só a música tem me relaxado. Estou tentando aprender algum instrumento, mas essa porra do **mindinho**... Queria, apesar de tantas e tantas brigas, seis casamentos e cinco separações, queria que ela morresse tranqüila, em paz, sorrindo, me ouvindo tocar algum instrumento. Ela já não podia ler. Às vezes eu lia pra ela. Mas sempre brigávamos, porque ela só gostava de *best-sellers* americanos e eu de policiais franceses. Tenho lido cada barbaridade...

O berimbau

O berimbau é um instrumento musical que parece um arco feito de um arame (tirado de um pneu), uma cabaça e uma verga. É tocado com uma vareta usada para bater no arame e uma moeda ou "dobrão" que é aplicado ao arame para produzir três tons diferentes. O berimbau é um dos instrumentos mais velhos do mundo. Ele é um instrumento de origem africana (Angola) e foi introduzido no Brasil por escravos africanos no tempo da colônia. Hoje, ele é um símbolo da capoeira.

Place your right hand with thumb, index, and little fingers extended and the two middle fingers bent.

Coloque a mão direita com os dedos polegar, indicador e **mindinho** estendidos e os dois dedos do meio dobrados. E toque.

A Glorinha virou alcoólica. Profissional.

De todos os instrumentos que eu já tentei tocar (ou assoprar) o que dá mais trabalho (no meu caso) é mesmo a flauta doce. Praticamente é impossível. O **mindinho** é fundamental. www.liaa.ch.ufpb.br/~romdam/historia.html

A história da flauta doce

A flauta doce é o membro mais desenvolvido da antiga família das flautas de tubo interno, flautas com uma janela (*windway*) fixa formada por uma peça de madeira chamada de bloco. É distinta de outra flauta de tubo interno, com buracos para sete dedos e o buraco para o dedo polegar, que também serve como abertura de oitava. Talvez a ilustração mais antiga e incomparável seja a de uma flauta doce que está no "The Mocking of Jesus" (posterior a 1315), um afresco da Igreja de Staro Nagoricvino, perto de Kumanova na (Iugoslávia) Macedônia, pintada pela casa de pintores Michael e Eutychios, no qual um músico toca uma flauta de tubo cilíndrico, com o *window/labium* claramente visível, e ao pé da qual há um buraco aberto para o dedo **mindinho**.

(Texto original de Nicholas S. Lander. Tradução: Prof. Romero Damião.)

Ainda na minha fase musical, algo sobre a guitarra. www.universidaderibeiraopreto.com.br. Estava numa fase de paixão pela Glorinha.

A utilização dos harmônicos naturais na guitarra

No mês passado nós observamos o uso dos harmônicos naturais na guitarra. Agora veremos outro uso deste recurso.

Antes estudamos apenas os harmônicos utilizando cordas soltas, mas também podemos fazê-los com as cordas pressionadas. Como? Requer um pouco mais de prática, mas é possível.

Na guitarra podemos fazer de duas formas diferentes. Na primeira utilizamos o "hammer-on", conhecido por aqui como "ligado", que consiste em tocar uma nota na guitarra batendo com o dedo, sem o uso da palheta. Para obtermos o harmônico, basta encostar levemente na corda. A primeira nota (lá) é obtida com o dedo indicador e o *hammer* feito com o **mindinho**.

Entretanto, esta forma só é aplicável aos poucos trastes que sua mão aberta puder alcançar, e além disso seu resultado é mais difícil de ser obtido.

A segunda forma, e mais comum, é o "tapping" harmônico, cujo resultado é bem mais satisfatório e que também permite facilmente utilizar qualquer traste da guitarra. Consiste em aplicar o "tapping" (incursão de qualquer dedo da mão que é usada para segurar a palheta sobre a escala) apenas encostando no traste da qual se quer obter o harmônico.

O problema é que estas técnicas só costumam gerar bons resultados com distorção. Para você que curte uma guitarra de som limpo ou violão, pode-se utilizar da antiga técnica de encostar levemente o dedo indicador (da mão que dedilha as cordas!) sobre o traste da qual se obterá o harmônico e vibrar a corda com qualquer outro dedo da mesma mão (normalmente se usa o **mindinho**).

No próximo mês estudaremos os harmônicos artificiais.

João Tello

Lembra do Castilho (Píndaro e Pinheiro), grande goleiro, eterno reserva da seleção brasileira e que depois acabou se suicidando numa depressão braba? Também tinha problemas com o **mindinho**. Olhaí, que coisa. A Glorinha me disse que isso não tem nada a ver com o futuro livro, se é que vai sair.

www.orbita.starmedia.com/~goleada/craques_do_fluminense

Castilho

Carlos José Castilho (27/11/27) encontra o amigo Ademir Menezes no centro do Rio, num dia de semana de 50. No domingo, haverá Fluminense x Vasco. "Olá, Bóris, como vai?", pergunta-lhe o atacante. "Mais ou menos, Queixo." E explica-lhe que está com um furúnculo no braço esquerdo que lhe prejudica os movimentos. Ademir deseja melhoras ao amigo e cada um segue seu caminho. Reencontram-se no gramado. Durante o jogo, há um pênalti contra o Flu. "É meu, é meu", grita Ademir. Bola na cal, ele bate forte, à esquerda de Castilho, que, em vôo acrobático, atira-se e defende a cobrança. "Você acha que eu não me lembraria da conversa do outro dia?", disse depois ao atacante. "Eu tinha certeza de que você iria chutar ali."

Castilho, o maior dos muitos grandes goleiros da história do Fluminense, foi um mito nas Laranjeiras. "São Castilho", reverenciavam-no os torcedores, a cada milagre. "Loteria", gritavam os adversários, espantados com a sorte daquele jogador sisudo, de cara fechada, que "insistia" em ser ajudado pelas traves. De 46 a 64, ele dominou o gol do Flu. Esteve em quatro Copas do Mundo. Daltônico, não hesitou em submeter-se a uma amputação de parte do dedo **mindinho**, para que pudesse se recuperar mais rapidamente de uma contusão. Em 87, já técnico vitorioso, sentia-se deprimido às vésperas de embarcar de volta para a Arábia, onde cumpria contrato com um clube local. Não suportando a depressão, saltou da janela de seu apartamento no Rio. Foi o último, e trágico, salto do grande Castilho. Sem o **mindinho**.

Este foi um dos maiores jogadores que o Brasil já teve. Anos 50, lembra dele? O Jajá. Com problemas no **mindinho**, também. www.selecaobrasileira.com/persona/pertexto14.htm. Não enche, Glorinha!

Jajá de Barra Mansa

Jair Rosa Pinto não é de Barra Mansa; é de Quatis, onde nasceu em 21 de março de 1921.

A história de Jair na Seleção teve início em 1940, em plena era do domínio argentino no futebol continental. Estreou no selecionado, um pouco antes de completar 20 anos, na Copa Roca. O Brasil perdeu por 6 a 1 em Buenos Aires e Jair fez o único gol brasileiro. No Campeonato Sul-americano de 1945, a chamada linha atacante, constituída por Tesourinha, Zizinho, Heleno, Jair e Ademir, foi considerada pela crítica esportiva, tanto a brasileira como a dos países do nosso continente, como a melhor de todos os tempos. Jair foi o artilheiro do Campeonato Sul-americano de 1949. Atuou pela Seleção até 1956, sendo o quarto colocado em tempo de serviço líquido (não contando as partidas de despedidas de jogadores aposentados) pelo selecionado nacional.

Jair era um jogador franzino, de canelas finas e com um calo no **mindinho** do pé esquerdo – o bom – que lhe atormentou durante sua carreira. Entretanto, seu violento chute era temido por todos os goleiros. Chute forte e com efeito. Foi o melhor cobrador de faltas de sua época. Mário Filho lembra de uma delas, contra o Arsenal de Londres, que chegou no Brasil barbarizando e mostrando que os ingleses tinham mesmo inventado o futebol. O Arsenal goleara o Fluminense e perdera para o melhor time brasileiro, o Vasco, com um gol espírita de Nestor. Diz Mário Filho (*O Sapo de Arubinha*, p. 138): "O Vasco tinha que respeitar o Arsenal mais do que os outros: era o maior time do Brasil. Já o Flamengo, que não precisava respeitar o Arsenal, deu-lhe um baile. Parecia que o Flamengo ia levar uma goleada, quando Jair Rosa Pinto marcou um gol de 40 metros que acabou com os ingleses". Prossegue Mário Filho: "E acabou porque os ingleses tomaram todas as medidas contra o gol. Aquele gol não podia entrar. Era uma falta. Jair ajeitou a bola, os ingleses fizeram uma barreira compacta, de lado. Jair só podia chutar em cima do arqueiro. E foi o que Jair fez. Swindin curvou-se, preparou-se para amortecer a bola antes de aconchegá-la ao peito. A bola, porém, na hora em que Swindin, parado, fez assim com as mãos, desviou-se e foi sacudir as redes do Arsenal."

O lobisomem tem tudo a ver com o **mindinho**, sabia? Essa nem eu sabia. E, depois de ler este texto abaixo, comecei a imaginar se a Glorinha não teria sido uma lobismulher, porque agora ela só grunha. Mas depois pesquisei e isso só acontece com homem. Só homem é que vira cachorro. Deu na Internet. www.joanopolis.com.br. O texto abaixo é do historiador Valter Cassalho, baseado no livro *Lobisomem assombração e realidade*, de Maria do Rosário de Souza Tavares de Lima, membro da Escola de Folclore de São Paulo.

Existem lobisomens em Joanópolis?

No ano de 1983, a folclorista Maria do Rosário de Souza Tavares de Lima, descendente de nossa cidade e membro da Escola de Folclore de São Paulo, resolveu pesquisar, catalogar e transformar em livro o lobisomem de nossa região com o título de: *Lobisomem: assombração e realidade*. O livro caiu como uma bomba sobre Joanópolis e em algumas centrais de jornalismo foi um comentário geral; entre muita discussão e controvérsias, o lobisomem renascia, não mais nas encruzilhadas, mas sim na discussão do dia-a-dia daquele ano. Em abril de 1984, o jornal *O Estado de S. Paulo* publica um artigo onde afirma que Joanópolis poderia ser considerada A CAPITAL DO LOBISOMEM. Ainda vieram para cá a Rede Globo com o programa Fantástico e a Rede Record.

O Lobisomem *marketing* parece ser cíclico, pois neste ano de 1998 ele volta à tona com força total através do comercial sobre folclore do grupo MacDonald's, no qual figuraram pessoas de nossa cidade. Surge com um grupo de amigos a LOBOMANIA e uma associação: Associação dos Criadores de Lobisomens (A.C.L.).

Aspecto físico

É um homem magro e pálido, com grandes orelhas, provido de pêlos abundantes por todo o corpo. O antebraço e as mãos são calosos, pois usa-os como patas, quando transformado em quadrúpede.

Fator determinante

Ser o primeiro ou o último de uma série de sete filhos; o sétimo filho de um casal que só tiver mulheres; filho de incesto, no qual se incluem as comadres; permanecer durante dez anos sem confissão ou comunhão ou sem molhar os dedos em água benta.

Idade em que se manifesta

Logo após o nascimento, aos 7, 12,13 e 24 anos; por vezes em qualquer idade, quando for amaldiçoado por pais ou padrinhos.

Ocasião propícia

Qualquer dia da semana, exceto sábados e domingos. Na noite de quinta para sexta-feira. Durante a quaresma, na sexta-feira da Paixão. No dia 13 ou no dia de São João e ainda durante a lua cheia.

Aspectos físicos do Lobisomem

Forma de lobo, cachorrão preto ou escuro, com a parte de trás mais alta do que a da frente. Homem-cão de olhos afogueados, pêlos eriçados, unhas agudas. O morto é sempre na forma de cachorro branco.

A maldição (fadário)

Percorrer sete cidades em cada noite de maldição e voltar ao lugar de partida antes que o galo cante, antes que clareie o dia.

Alimentação

Devora fetos, crianças pagãs, cabeças de crianças mortas sem batismo, cadáveres, cachorros, filhotes, carniça, excremento de animais, melado, sangue humano de pessoas que morreram sem confissão. Segundo consta, atualmente galinhas.

Atuação

Espalha o terror, amedrontando e atacando pessoas e animais, desvirgina donzelas e morde quem encontra.

Como se herda o fadário

Fazendo-o sangrar e sujando-se no seu sangue; ou ser mordido por ele.

Como se interrompe o fadário

Ferindo-o de forma que perca sangue com um objeto de prata. Saudando-o com o sinal-da-cruz. Contando-lhe que é um Lobisomem. Queimando suas roupas que despe na ocasião da transformação e substituindo-as por outras novas. Chamando pelo nome de batismo. Quando for batizado pelo irmão mais velho. Dando-lhe uma surra com duas cordas de fumo e amarrando-lhe uma terceira no pescoço. Jogando-lhe água benta. Quando neném, proceder o ritual de espetar-lhe sete agulhas virgens em três sextas-feiras seguidas, logo após o batismo na igreja.

Proteção contra Lobisomem

Abrir os braços em cruz e rezar o Crendospadre. O alho, a lâmina de facão ou machado.

Para matar o Lobisomem

Atirar no seu dedo **mindinho** do pé. Atirar com bala benta ou bala lambuzada em cera de vela do altar.

Boa ação. Sabe quando a gente é garoto e quer ser escoteiro? A Glorinha, com uns 13 anos, foi bandeirante, uniforme azul, lembra? Sempre alerta, fazer a boa ação do dia, etc. Olha o que ela descolou no www.gold.com.br/~trincon/escotismo/etapas.html

Etapas do Movimento Escoteiro

O movimento escoteiro segue uma linha de desenvolvimento pessoal diferente das tantas outras conhecidas. O objetivo principal do movimento escoteiro é a formação de líderes e de pessoas capazes de viver bem servindo à Pátria, a Deus e ao Próximo.

A Promessa do Lobinho
Prometo fazer o melhor possível
Para cumprir meus deveres para com Deus e a minha Pátria
Ajudar o próximo em toda e qualquer ocasião
Fazer todos os dias uma boa ação.

Promessa do Escoteiro, do Sênior e do Pioneiro.
Prometo pela minha honra fazer o melhor possível
Para cumprir meus deveres para com Deus e a minha Pátria
Ajudar o próximo em toda e qualquer ocasião
Obedecer a lei do escoteiro.

A Promessa do Chefe
Prometo pela minha honra fazer o melhor possível
Para cumprir meus deveres para com Deus e a minha Pátria
Ajudar o próximo em toda e qualquer ocasião
Obedecer a lei do escoteiro e servir a União dos Escoteiros do Brasil.

O Aperto de Mão Escoteiro

Durante uma visita a uma tribo de guerreiros, Baden Powel se surpreendeu com um fato: ao cumprimentar o chefe da tribo, ele estendeu a mão direita. Ao contrário de B.P., o chefe da tribo estendeu a mão esquerda. Mais tarde, o chefe lhe deu a seguinte explicação:

– Aqui na aldeia, os grandes se cumprimentam com a mão esquerda, largando para isso o seu escudo, ou seja, a sua única defesa. Com isso ele prova ao adversário que deposita nele grande confiança e lealdade, mesmo que este seja seu inimigo.

Encantado com a explicação, Baden Powel decidiu adaptar o cumprimento com a mão esquerda, provando também que os escoteiros são todos dignos de confiança. No Brasil, nós nos cumprimentamos entrelaçando o dedo **mindinho**. Desta forma, uma mão apenas não consegue largar a outra. Somos escoteiros sempre unidos.

Você acredita quando dizem "não vai doer"? Nem eu. Nem a Glorinha, na primeira vez. Por que não falam logo que vai doer e a gente se prepara, né?

É como morrer. Dizem que não vai doer. Olha este texto, retirado do *site* www.cerebronosso.bio.br. e que agora consta do livro *O cérebro nosso de cada dia – descobertas da neurociência sobre a vida cotidiana* (Rio de Janeiro, editora Vieira & Lent, 2002) de Suzana Herculano-Houzel. É genial.

Não vai doer

Você acredita quando lhe dizem que "não vai doer"? Vários estudos já mostraram que quando você realmente acredita que não vai doer, quase não dói mesmo. Mas um estudo feito recentemente por um grupo italiano indica como seu cérebro se tapeia: produzindo opióides próprios que agem especificamente sobre a representação mental daquela parte do seu corpo que vai sofrer o ataque. Assim, a anestesia "psicológica" é dirigida somente àquela porção do corpo, preservando a sensibilidade das outras.

Fabrizio Benedetti, Claudia Arduino e Martina Amanzio, da Universidade de Torino, contaram com a participação de 173 voluntários no estudo. Todos os voluntários recebiam uma injeção de capsaicina, um dos princípios ativos da pimenta, simultaneamente nas costas das mãos e no dorso dos pés. A injeção de capsaicina provoca uma dor ardente localizada. A cada minuto, os voluntários avaliavam a intensidade da dor em uma escala de 0 (nenhuma dor) a 10 (dor insuportável). Em média, os voluntários avaliaram a dor inicial como 5 ou 6, decaindo gradualmente até desaparecer (dor 0) 15 minutos após a injeção.

Alguns voluntários, no entanto, receberam antes da injeção um creme aplicado a uma das mãos, ou a um dos pés. O creme, apresentado como "um anestésico local poderoso que alivia a ardência da capsaicina", era na verdade um placebo, uma mistura de óleo de tomilho e água, sem ação anestésica própria. Resultado: enquanto a dor inicial percebida nas outras partes do corpo era avaliada em 5-6, a dor inicial na mão ou pé que havia recebido o placebo recebia um mero "3", e desaparecia mais rapidamente, em apenas 10 minutos!! Como explicar tal "poder de sugestão"?

Estudos anteriores haviam mostrado que a antecipação de um efeito analgésico leva à produção de opióides pelo cérebro, que então agem sobre o próprio cérebro, diminuindo de fato a sensação de dor. No estudo italiano, o efeito "analgésico" do creme pôde ser anulado por uma injeção prévia de naloxone, que bloqueia a ação de opióides, mostrando que a dor reduzida em decorrência da expectativa era de fato devida à produção de opióides endógenos. A grande novidade deste estudo é mostrar que o opióide produzido na expectativa da analgesia age somente para a parte do corpo que recebeu o suposto analgésico. Como? A explicação mais simples oferecida pelos pesquisadores é que o opióide produzido não atua no cérebro em geral, mas somente nas regiões do cérebro que representam aquela parte do corpo que é objeto da expectativa.

Em outras palavras: se você acredita piamente que seu dedo **mindinho** da mão esquerda está anestesiado e não vai sentir dor, seu cérebro produz opióides que agem na representação do seu dedo **mindinho** da mão esquerda, e só nela, e anestesiam seu **mindinho** pra você. Mesmo que o "anestésico" que lhe aplicaram no **mindinho** tenha sido só um placebo.

Dá até pra criar uma frase para essa nova explicação biológica do "poder de sugestão" da mente:

"Me engana, que eu produzo uns opióides e gosto..."

O interessante na Internet é que você pode vasculhar o mundo atrás dos dedos. Veja isto que eu encontrei na Espanha. Pode conferir no w.w.w.abcsexologia.espanol. lycos.com.

Teve uma época (quando a Glorinha ainda não tinha a doença, e cismou em fazer plástica para ficar virgem de novo) que eu me especializei em *sites* de sacanagem. Claro que este aqui é apenas científico. Mas dá uma certa tesão.

Anatomia genital femenina

Los genitales de la mujer son externos e internos.

Externos son: la vulva, formada por los labios mayores, labios menores y el vestíbulo.

En la parte anterior esta el Monte de Venus, es un acumulo adiposo situado sobre el hueso del pubis y esta cubierto de vello.

Genitales externos de la mujer

Los labios mayores, son 2 grandes pliegues de piel que delimitan la hendidura vulvar, tienen mayor pigmentación de la piel y están recubiertos de vello.

Los labios menores están situados dentro de los labios mayores formados por piel que se asemejan a una mucosa no tienen vello y si glándulas sebáceas para mantener la humedad dentro de la vulva. Su extremidad anterior se desdobla en dos pliegues que rodean al clítoris y forman por encima de este órgano un capuchón que lo protege, el clítoris es un órgano muy vascularizado con capacidad para la erección y que solo sirve en la anatomia de la mujer para el placer.

El vestíbulo es la zona delimitada por los labios menores donde desembocan la uretra y la vagina a ambos lados de la vagina están los conductos por donde desembocan las glándulas de Bartholino.

Alrededor del meato urinario se encuentra la desembocadura de diversas glándulas uretrales, las más importantes son las de Skenen.

La desembocadura de la vagina hacia el exterior esta delimitada por un pliegue que la estrecha y que se llama himen.

La vagina es un conducto cilíndrico que va desde la vulva hasta el cuello del útero, esta cubierta por mucosa y formada por músculos. La zona más sensible de la vagina esta localizada en el tercio anterior de esta. La mayor parte del tiempo es una cavidad virtual con una gran elasticidad, es capaz de albergar desde **mindiño**, un pene, un especulo o la cabeza y el cuerpo de un recién nacido durante el parto. También permite la salida de la sangre durante la menstruación.

Ou ainda isso, no www.sexosinfronteras.arrakis.es. Estava achando que faltava um pouco de pornografia espanhola neste livro.

Naquela época que a Glorinha fez a tal da plástica do hímen e como eu não quis desvirginar – de novo – a Glorinha, ela saiu para a rua e deu para um motorista de charrete. De charrete!!!

Como una mujer puede ejercitar su vagina

Una mujer con una vagina musculosa puede dar una incomparable sensación al hombre durante la penetración.

Para tonificar su vagina puede realizar los siguientes ejercicios:

– Cada vez que la mujer tenga deseos de orinar deber contraerse y después relajarse un segundo y así repetidamente el mayor tiempo posible.

– En la cama o cuando esté tomando un baño introduzca dos dedos en el interior de su vagina e intente contraer las paredes vaginales, sin juntar las piernas, repetidamente hasta que pueda sentir los músculos en sus dedos. Si al principio resulta difícil, puede empezar con tres dedos y después ir disminuyendo sucesivamente un dedo cada vez hasta que sea capaz de sentirlo sólo con el dedo **mindiño**. En ese momento los músculos de su vagina habrán adquirido la fuerza suficiente como para controlar el nivel de satisfacción durante la penetración.

Infelizmente não acompanhei os primeiros meses da vida do meu filho Fabrício, que eu tive com a Doca, conforme já ficou esclarecido. Mas sempre soube que era meu filho e procurei ficar a par do que estava se passando com sua criação.

Veja o que eu achei no *site* www.boasaude.com. É sobre o aleitamento materno. Note a importância do **mindinho** – da mãe – na boca do bebê. Por falar em bebê, e o medo que a Glorinha tem de ter um filho e me deixar pior ainda? Se ele nascesse como eu, entende? Pode?

Aleitamento materno e sensibilidade do mamilo

Seu bebê pode ter dificuldade de adaptar-se ao seu mamilo quando seus seios estiverem cheios e endurecidos. As compressas mornas suavizam seus mamilos e sua aréola. A aréola é a parte escura que circula seu mamilo. Ou então retire um pouco de leite antes de iniciar a amamentação. Isto estimula o reflexo de ejeção do leite, também amacia o mamilo e facilita que seu bebê adapte-se melhor ao mamilo.

Verifique a posição que seu filho usa para mamar. Coloque quatro dedos (inclusive o **mindinho**) debaixo do seio e o polegar por cima. Suavemente, aperte seu mamilo pressionando com o polegar e o dedo indicador. Com a boca de seu bebê completamente aberta, coloque a maior parte possível da aréola e mamilo no interior da mesma. O mamilo deve ficar no centro da boca do bebê. Quando o bebê suga apenas a ponta do mamilo, você ficará com estes sensíveis, rachados ou sangrando.

O lábio inferior e a língua de seu filho podem ser a causa da sensibilidade em seus mamilos, portanto puxe para baixo o lábio inferior, certificando-se de poder observar sua língua. Fique atenta para que o lábio inferior de seu filho não seja sugado dentro da boca durante a amamentação.

Você pode querer alimentar seu filho a cada duas horas durante cinco a dez minutos de cada vez até os seus mamilos melhorarem. Retorne ao horário habitual assim que sentir que não há mais sensi- bilidade.

Coloque seu dedo **mindinho** dentro da boca de seu filho para interromper a sucção quando o bebê houver terminado de sugar o seio. Isto ajuda a prevenir a sensibilidade dos mamilos.

Olha as loucuras que a Glorinha me fala. Outro dia disse que ainda bem que era o **mindinho** direito que eu não tinha. Porque, segundo ela, se fosse na mão esquerda, a aliança ia ficar muito exposta, ficar sempre se arranhando e amassando. Ia acabar caindo. Você acha que eu posso agüentar uma mulher assim? Cinco anos de casados, já. As mãos são muito importantes, tudo bem. Assim como os dedos. Aqui vai uma aula de como cuidar das mãos e das unhas. Sei tudo sobre o assunto. Mais do que ela. Tudo do www.icomo.com.br. Olha a delicadeza.

Como cuidar das unhas das mãos

As unhas das mãos dizem muito a respeito da educação e higiene de uma pessoa e, portanto, devem ser tratadas com bastante carinho. Por vezes, o melhor é entregá-las aos cuidados de um profissional especializado, a manicure, mas isso não impede que cuidemos delas em casa.

O que usar

Água morna · Sabonete líquido · Algodão · Creme hidratante para as mãos · Tesourinha de unhas · Fortalecedor de unhas · Alicate de unhas e cutícula · Esmalte · Lixa de unhas · Toalha macia · Vareta de pau de laranjeira · Base · Secante para esmaltes · Removedor de esmaltes

Passo a passo

1. Verifique o estado de suas mãos regularmente
2. Procure fixar um dia da semana para cuidar das unhas
3. Remova o esmalte
4. Limpe e corte as unhas com uma tesoura ou alicate apropriado
5. Lixe-as no formato e tamanho desejados
6. Para amolecer a cutícula, mergulhe as mãos em um pote com água morna e sabonete líquido, deixando-as descansar por cerca de dois minutos
7. Seque as mãos com uma toalha macia e, com muita atenção, empurre toda a cutícula com uma vareta apropriada, feita do pau de laranjeira. Se preferir, retire a cutícula com um alicate, tomando cuidado para não se machucar
8. Antes de aplicar um novo esmalte, passe sobre as unhas uma camada de base para evitar que o pigmento do esmalte as descolore
9. Escolha a cor de sua preferência e aplique o esmalte, certificando-se de que o pincel aplicador não está muito cheio para não borrar
10. Comece pelo dedo **mindinho**, pincelando do centro para as extremidades, no sentido da cutícula para a ponta da unha
11. Espalhe o esmalte pela unha e, com mais duas pinceladas, dê o acabamento
12. Repita a operação nas demais unhas e passe para a outra mão.

Nunca estive tão bem com a Glorinha como agora. Estamos vivendo um momento pleno de amor (Bilac?). A coisa está tão boa que já ando antevendo a hora que vai virar caca de novo.

Entrei hoje de novo no *site* www.cerebronosso.com.br. (Suzana Herculano-Houzel, *O cérebro nosso de cada dia*). Como sempre, refresquei meu cérebro mais uma vez.

Serão os ouvidos? Serão os dedos? Não, é o cérebro treinado dos músicos.

O que faz de alguém um violinista virtuoso? Talento e anos de prática à parte, uma coisa é certa: a diferença entre o concertista e aqueles estudantes que tiram notas arranhadas é uma questão de milímetros. Violinos, ao contrário de violões, não têm marcas no braço indicando onde posicionar os dedos da mão esquerda para obter a nota desejada. E como o braço é muito mais curto, um simples milímetro a mais para lá ou para cá pode significar uma nota menos do que perfeita – e acabar com os sonhos de um lugar de destaque no palco.

Além dos milímetros no braço do instrumento, a sensibilidade para posicionar os dedos corretamente talvez dependa também de milímetros em outro lugar: no cérebro do músico. Ou mais exatamente na região do cérebro que cuida das sensações dos dedos da mão esquerda. Segundo um estudo feito na Alemanha em 1995, essa região do cérebro dos violinistas conta com vários milímetros – e muitos neurônios – a mais para cumprir sua tarefa.

Thomas Elbert e Edward Taub, dois dos autores do estudo, vêm já há algum tempo investigando como a representação cerebral dos sentidos muda de acordo com o uso dos sentidos, e para colocar suas idéias à prova, nada mais natural do que investigar a representação dos dedos das mãos de violinistas: durante anos e anos de treino, essas pessoas usam as duas mãos de maneira muito diferenciada. Enquanto os dedos da mão direita precisam apenas movimentar o arco mais ou menos rápido e com mais ou menos força, os dedos da mão esquerda devem se movimentar muito mais rapidamente e serem sensíveis o suficiente para se posicionarem com precisão milimétrica. Se o uso faz o cérebro dedicar mais espaço ao que é usado, a predição é simples: com o uso mais intensivo dos dedos da mão esquerda, a sua representação no cérebro dos violinistas deveria ser maior do que a dos dedos da mão direita.

Como as sensações de cada mão são representadas separadamente no cérebro, aliás em lados opostos do cérebro – mão esquerda no lado direito, mão direita no lado esquerdo –, fica fácil determinar quem é quem na hora de analisar o tamanho das representações no cérebro. Mais fácil ainda quando se conta com um *expert* na arte de medir a ativação de diferentes partes do cérebro, como Christo Pantev, craque no uso da magnetoencefalografia.

O nome complicado esconde um princípio simples. Toda atividade no cérebro envolve a geração de correntes elétricas, e ao redor de toda corrente elétrica se forma um campo magnético, que se espalha e atravessa o crânio e a pele com muito mais facilidade do que o campo elétrico do cérebro. Com a ajuda de pequenos sensores posicionados sobre a cabeça, tomando o cuidado de sentar seu voluntário dentro de um quarto de paredes de chumbo para deixar todos os campos magnéticos da cidade do lado de fora, e usando muita matemática, é possível determinar de onde vêm esses campos magnéticos, ou seja, em que local do cérebro ocorre a ativação que lhes dá origem. Além disso, a intensidade do campo magnético medido fornece uma indicação do número de células ativadas: quanto maior o campo magnético num certo ponto, mais células provavelmente o produziram.

Seis violinistas de uns 25 anos de idade e de sete a 17 anos de experiência com o instrumento participaram do estudo, junto com seis voluntários sem qualquer experiência com instrumentos musicais, que serviram como referência para comparação. Como o objetivo do estudo era apenas determinar o tamanho da representação sensorial dos dedos no cérebro, a tarefa dos voluntários, violinistas ou não, era muito simples: ficar descansados com os sensores na cabeça dentro da sala chumbada enquanto um aparelhinho tocava de leve em seus dedos. Para simplificar ainda mais, apenas dois dedos de cada mão foram examinados: o **mindinho**, muito usado pelos violinistas e pouco por qualquer outra pessoa, e o dedão, que no violino serve principalmente de apoio por trás do braço do instrumento, embora também faça pequenos ajustes de posição e pressão.

Os resultados do estudo são bastante claros: as sensações do dedo **mindinho** e do dedão da mão esquerda evocam mais atividade no cérebro dos violinistas do que as da mão direita, e também mais do que a mão esquerda no cérebro dos outros voluntários, como se fossem representadas por duas vezes mais neurônios. Além do mais, a representação dos dedos da mão esquerda parece deslocada no cérebro dos violinistas, como se tivesse "crescido" vários milímetros em direção à representação da palma da mão dentro do mapa que o cérebro faz das sensações do corpo – como se o mapa tivesse mudado para acomodar mais neurônios representando os dedos da mão esquerda.

Como seria de se esperar dada a diferença da utilização, o aumento da representação cerebral é maior para o dedo **mindinho** dos violinistas, mais treinado, do que para o dedão. Em comparação, a representação da mão direita é semelhante entre violinistas e não-músicos.

Quem diria que o revolucionário poeta espanhol Federico García Lorca iria fazer um poema sobre o **mindinho**? Ei-lo. Anel no dedo **mindinho**, só na cabeça de um espanhol mesmo. Me lembro que li para a Glorinha na UTI. Recitava Lorca para ela. Mas ela gostava mais de Vinicius e J. G. de Araújo Jorge. Nunca havia confessado isso pra ninguém. Sabe o que ela dizia, pra mim, nos bons tempos? Coloca o seu peixinho no meu aquário, coloca. Peixinho no aquário... Vamos ao Federico:

Menino mudo

Busca o menino a sua voz.
(Quem a tem é o rei dos grilos.)
Em uma gotinha de água
busca sua voz o menino.

Não a quero para falar;
farei com ela um anelzinho

que o meu silêncio levará
no dedo, no seu dedo **mindinho**.

Em uma gotinha de água
busca sua voz o menino

(A voz dele, presa lá longe,
veste uma roupa de grilo.)

Último texto do seu **Mindinho**

Uma verdade que eu constatei nesses meus 55 anos é que – eu garanto – quando você não tem um dos dedos, todos os outros se sentem na obrigação de suprir a necessidade do faltoso. Ajudar, sabe? Todo mundo. Se o mundo todo fosse assim, onde faltasse um, vinham nove para ajudar, eu teria morrido mais feliz.

O Fabrício veio hoje aqui no hospital e disse que fez a matrícula lá em Múrcia, na Espanha. Faça-me o favor de fazer este livro vender bem que o garoto merece. Afinal, ele não tem o **mindinho**.

Recomende aos amigos. Não empreste. Faça-os (*pardon*, como diria João Ubaldo) comprar. Porque – definitivamente – ali, na contracapa, aquele espaço onde o seu **mindinho** direito repousou por tanto tempo não pode ser manipulado por um mero dedo estranho. Vai por mim, que eu entendo desse negócio.

Agora, cá entre nós, eu não sei o que seria da minha vida sem a Glorinha. Ah, que saudade do **mindinho** da Glorinha no meu fiofó. Só ela sabia (e podia) fazer aquilo.

Impressão e Acabamento
GEOGRÁFICA
editora